激情燃烧的岁月

石钟山 著

华夏出版社

目录

激情燃烧的岁月

关于 《激情燃烧的岁月》

GUAN YU JI QING RAN SHAO DE SUI YUE

激 情 燃 烧 的 岁 月

父亲进城

FU QIN JIN CHENG

父亲进城

　　1950 年 8 月，父亲骑着一匹高头大马，满怀亲情地走进了沈阳城，身后是警卫员小伍子，以及源源不断的队伍。此时，父亲走在沈阳城著名的中街上，他的眼前是数百人组成的欢迎解放军进城的秧歌队，背景音乐是数人用数只唢呐吹奏出的《解放区的天》，曲调欢快而又明亮，扭秧歌的人们，个个喜气洋洋。

　　父亲本想打马扬鞭在欢迎的人群中穿过，当他举起马鞭正准备策马疾驰时，目光在偶然中落在了琴的脸上。那一年，琴风华正茂，刚满二十岁，一条鲜红的绸巾被她舞弄得上下翻飞，一条又粗又长的大辫子，在她的身后欢蹦乱跳。青春的红晕挂满了她的眼角眉梢，她正在和姐妹们真心实意、欢天喜地迎接解放军的又一次进城。三年前，辽沈战役之后，国民党溃退了，那时的解放军就进城了，很快又南下了。这次解放军又回来了，和已往不同，他们要在这里长久地住下去，守卫着新中国的北大门。于是，沈阳城里的百姓，真心实意地走出家门，来欢迎亲人解放军。

琴怎么也不会想到，这一天对她来说是人生的一个转折点，可她一点预感也没有，她在欢迎的人群里，用青春年少的身体尽情地扭摆着欢乐的激情。

父亲望见琴的那一刻，他强健的心脏暂时停止了跳动，扬起马鞭的右手僵在半空，他张大嘴巴定格在那里。此时，用目瞪口呆形容父亲一点也不过分。年轻貌美的琴出现在父亲的视线中，父亲不能不目瞪口呆。那一年，父亲已经三十有六了。三十六岁的父亲以前一直忙于打仗，他甚至都没有和年轻漂亮的女人说过话。这么多年，是生生死死的战争伴随着他。好半晌，父亲才醒悟过来，他顿时感到口干舌燥，一时间，神情恍惚，举着马鞭的手不知道落下还是就那么举着。琴这时也看见了父亲，她甚至冲父亲嫣然地笑了一下，展露了一次自己的唇红齿白。父亲完了，他的眼前闪过一条亮光，耳畔响起一片雷鸣。在以后的日子里，他无论如何也忘不下琴了，他被爱情击中了。

父亲参军前的老家一直在东北的大兴安岭脚下。爷爷奶奶在早年闯关东时便把家扎在了大兴安岭脚下的一个窝棚里。父亲是在冰天雪地里出生的，他睁开眼睛，看到这个世界的第一眼就是冰天厚雪、深山老林。于是胡天胡地的关东便成了父亲一生中难以割舍的情结，走遍天涯海角他也无法忘记关东的冰天雪地。经历了十几年的风风雨雨打打杀杀之后，父亲又回到了关东，走进沈阳城。骑在马上的父亲流下了两行激动的泪水。琴的身影在父亲的泪眼里挥之不去，父亲挥手抽了一下马屁股，在心里咬牙切齿地说：老子这辈子要定你了！

父亲三十有六身边仍没个女人，这在战争岁月中纯属正常。父亲十三岁那一年参加了抗联的队伍，十三岁的父亲，其实已经走投无路了。父亲的父母不远万里闯关东来到东北大兴安岭脚下的靠山屯，从生活上并没有得到实际意义上的改变。靠山屯大都是猎户，靠打猎为生。父亲的父母一来到靠山屯就想学会打猎这种谋生手段，可惜的是，一直到他们冻死在古老的林子里，也没能完全学会在胡天胡地里生存下去的手段。父亲的父母在一个大雪漫天的清晨走进了深山老林，结果他们迷路了，林深雪厚，他们无法找到回家的路了。三天之后，靠山屯的人们才发现了他们的尸体，他们的尸体已经如石头般坚硬。那一年，父亲八岁。八岁的父亲生活在靠山屯，举目无亲，是靠山屯的人们养大了父亲。父亲是吃百家饭长大的。父亲从八岁到十三岁这段时间里，他吃遍了靠山屯所有猎户家，在凄风苦雨中父亲慢慢长大了。十三岁那一年，父亲参加了抗联。抗联的队伍里有这样一批娃娃兵，他们连枪都拖不动，手里只是拉了根棍子，那是他们行军时的帮手。

那一年，在冬季又一次来临、日本人尚没封山之前，抗联总部作出决定，为了保存抗联的后辈力量，将这批娃娃兵送到延安去学习。

父亲永远也无法忘记陕北的日子，那里的天空是那么的蓝，生活是那么的火热，父亲在陕北第一次听见那首著名的歌曲——《解放区的天》。父亲和那批娃娃兵一起进入了陕北的少年干训队。陕北的红军在陕北闹了两年大生产之后，终于走出了陕北，一部分被改编成了八路军，另一部分直抵东北，插入到了敌后，走进了抗日的最前沿。

父亲那一年已年满十八岁了，他在一纵当排长。当他又一次踏上东北的土地之后，心里多了许多说不清的滋味。他又想起了在抗联时的岁月，还有在靠山屯吃百家饭时的日子。现在的抗联，仍艰苦卓绝地和日本人在老林子里周旋着，他们拖住了一部分日本人的力量，支援着八路军、新四军的抗日。

又是几年之后，日本人终于投降了。父亲本以为不会打仗了，他从回到东北后，一直无法忘记靠山屯的父老乡亲，那里是生他养他的地方。他日夜都在思念着靠山屯，可他却一直也没有机会回去过。日本人投降了，不打仗了，这时父亲已是一纵的一名连长了。他不仅学会了打仗，而且枪法也练得百发百中了，他回到靠山屯完全可以靠打猎为生了。他要当一个好猎人，为不能自食其力的父母挽回面子，同时也报答靠山屯父老乡亲的养育之恩。父亲的理想没有得到实现，日本人投降不久，国民党为了争夺胜利果实再一次掀起了内战，他们在东北投入了大量兵力，和东北纵队展开了新的一轮较量。中国伟人毛泽东远见卓识，早就派出了传奇将领林彪深入到东北指挥作战，争争夺夺拼拼杀杀之后，解放军滚雪球似地壮大了起来，在中国伟人们的调度下，在东北打响了著名的辽沈战役。那一年，父亲已经是一名很年轻的营长了。年轻的父亲明白了一条真理，要想安心踏实地回到靠山屯过猎人的日子，首先要把眼前的国民党部队彻底消灭，否则猎人将无宁日，于是，父亲热情高涨地投入了辽沈战役，在这样你死我活的敌我较量中，父亲无论如何想不到女人，他也没有工夫去想。虽然父亲那时年轻气盛，血气方刚，但他早已把过剩的精力转化到了战争中。老年的父亲曾这样形容战争：战争其实打的是精血。老年的父亲对战争的形容精辟而又深刻。辽沈战役以解放军大获全胜而告终，国民党队伍节节败退，固守北平和天津，企图扼守住通往中原的这条要道。这是有着许多精血的解放军们不能答应的，他们雄赳赳地走过山海关又打响了平津战役。这之后，父亲随着百万大军一直南下，追着国民党的队伍一直往南。国民党的队伍没有喘息的时间，追赶的父亲也没有喘息的机会。在这种追着赶着中，一年年过去了，父亲的年龄也一年大似一年了。年轻力壮的父亲，无数次地想过

女人，但却一直和女人无缘。父亲的队伍一直把国民党
追到了海南岛，最后又把国民党赶到台湾才暂时罢休。
这时共和国已经一岁了，全国形势一片大好，只是边远
地区仍有国民党在负隅顽抗，但已属秋后的蚂蚱，没有
几天蹦达了。于是，父亲的部队又挥师北上，进驻东北
沈阳城，建立更加巩固的大后方。

父亲在进驻沈阳的路上，一眼就看见了琴。琴的身
影仿佛是一粒炙热的火星儿溅在父亲堆满干柴的心间，
父亲心中的大火便不可遏止地熊熊燃烧起来。

那一夜，父亲无法入睡，他睁眼闭眼都是琴的身
影，这就注定了父亲和琴之间将会发生的故事。

沈阳军区的前身叫东北军区，父亲那时在东北军区
沈阳城内当师长。大军入城不久，马上掀起了搞对象的
热潮。这些出生入死的泥腿子们，在战火纷飞的年月里
苦煎苦熬着岁月，他们的年龄都大了。错过青春年少的
不只父亲一人，而是一批人。东北军区的领导考虑到这
一实际情况，采取了紧急而又相应的措施，于是一个表
面上看纯属正常，其实充满了阴谋和陷阱的联欢活动诞
生了。

大军刚刚入城，全国上下前所未有地国泰民安，组
织一些军民联欢的庆祝活动是得民心得军意的。联欢活
动在原国民党驻沈阳总部的一间大会议室里举行。这间
会议室足能装下一百对男女在这里谋面，谈情说爱。参

加联欢的人是有条件的，那就是团职以上的军官；女人的条件则既单一又苛刻，那就是必须年轻漂亮。胜利了，解放了，泥腿子们有千条万条的理由把自己的婚姻放在了头等重要的地位。

　　经过一番精心准备，联欢活动如期展开。急如火煎的大龄军官们和一群年轻漂亮的女人被集中在偌大的会议室里。当时的景象极为有趣，男女两大阵营极为分明的，男左女右，他们分左右坐在两排，中间一片空荡。年轻貌美的女人们还尚未见过这样的阵势，她们一律不好意思地低垂下头，脸早就红了。她们不时地捏弄着自己的辫梢或衣角，心脏如鼓地撞击着美丽丰满的胸膛。男人们挺胸而坐，他们的眼里灼灼地放光，热辣辣地在她们的脸上搜寻。父亲也坐在人群中，他的心里有一股说不清的滋味正在泛滥。自从入城那天见到琴，他无论如何也忘不下她了。眼前这样的阵势，并没有让他有多么激动。此时此刻，面对着眼前这么多年轻貌美的女人，他并没有动心，他的眼前仍不时地浮现出琴的身影。琴已融入到他的血液中了。

　　组织这次联欢活动的是东北军区政治部一位首长，这位首长曾去过苏联，在苏联喝过洋墨水，而且还娶了一位苏联姑娘做老婆。这位苏联老婆此时已同首长来到了沈阳城里。见多识广的首长觉得这样子坐下去，就是坐到天亮也不会有什么结果，于是命人打开了留声机。留声机是从国民党总部缴获来的。留声机里响起一支舞曲，政治部首长就站在男女的空地中央大着声音说：跳吧，跳吧，大家都跳起来吧！他这么说过了，人们都一脸茫然地望着他，不知道留声机里传出来的声音，和搞对象有什么关系。人们一脸迷茫、困惑之色。这位首长终于醒悟过来，命人用最快的速度把自己的苏联老婆找到联欢的现场，两人在乐曲的伴奏下当场示范起来。首长的一只手握着苏联女人的手，另一只手搂着女人的腰，两人不知是走还是跳。总之，在这群从没开过洋荤的男人眼里这就足够了。他们的身体热了起来，手心里也有汗水沁出。政治部首长一边示范一边鼓动道：跳吧，跳吧！大家都像我这样。他的话音还没落地，早就有人按捺不住了，红头胀脸地冲将过去，顺手拉起对面的一个姑娘，学着政治部首长的样子跟跟跄跄地向中间的空地上走去。一时间，所有的军官们，一哄而起，争先恐后地向女人们扑过去。他们此时的样子，似乎不是邀女人跳舞，而是去堵敌人的枪眼。男人们起来了，女人们也被拉了起来。男人们早就忘了手放在何处，总之拉起来再说。拉起来之后，双手死死地把女人的腰搂定了，似乎一不小心女人会在他们的眼前飞走。舞是不会跳的，搂定女人再说，意识清醒的，仍不失风度地学着政治部首长的样子走上一走，翘翘趔趔，跟跟跄跄。女人这时仍是被动着，她们认定自己无疑是被抢了。虽然甘愿被抢，但天生的羞涩使她们仍装出几分不情愿。于是别别扭扭的，半推半就地让男人搂了。几十对男女在

这样一种氛围中，艰难踉跄地踏出了他们爱情之旅的第
一步。

男人们蜂拥着扑向女人时，父亲没有动，他仍坐在
原处，他仍在想着琴。他觉得眼前的女人没法和琴相
比，他要在沈阳城里找到琴。从见到琴那一刻起，父亲
已做出非琴不要的决定了。当男人们各自搂定女人，女
人们同时也被搂定时，父亲发现在对面的角落里仍坐着
一位姑娘，她谁也不看，垂着头，似乎在想什么心事，
仿佛眼前的一切都与自己无关。正因为这位姑娘的独
特，她吸引了父亲。父亲看她一眼，又看了一眼，这一
眼让父亲张大了嘴巴，瞪圆了眼睛：眼前的姑娘分明是
琴无疑！他揉了一次自己的眼睛，又狠掐了一次自己的
大腿，才相信眼前不是梦。机会再一次光临了父亲。他
猛地站起身，大步流星地向琴走去。他站在琴的面前，
一时口干舌燥，不知说什么是好。琴发现了眼前站着的
人，她抬了一次头，发现了眼前的父亲，她很快地认出
了父亲，那天进城时，她曾认真地看过父亲。琴一时不
知如何是好，她本能地站了起来，紧张惶惑地望着父
亲。父亲觉得眼前这一切是天赐良机，他不能再失去琴
了。他一把捉住琴的小手，琴的小手在他的粗糙大手中
挣扎了一下。琴说：啊，不！这时，父亲的大脑里一片
空白，留声机的声音及周围的男人、女人统统的都不存
在了，这个世界只剩下了他和琴。他捉住琴的一只小手
后，另一只手很快地把琴的腰搂住了。他和那些大龄军

官一样，笨拙但有力地把眼前的女人搂住了。接下来发生的事，连父亲也不记得了，直到琴在他怀里发出一声又一声惊叫，他才醒悟过来，原来他踩了琴的脚。早在这之前，不少女人都惊叫过了。他们这些大龄军官，今天一律穿了皮鞋，这是他们的战利品。坚硬的皮鞋不时地踩在年轻貌美的姑娘们娇小柔软的小脚上，她们此起彼伏地不时发出一声声惊叫：眼前的场面似乎不是在联欢，而是变成了屠宰厂。

　　缓过神来的父亲，呼吸开始变得急促，眼神迷离朦胧，琴在他的怀里变得实实在在。他做梦也没有想到，此时此刻会搂着琴在梦样的情境中度着这美好的时光。这是天赐的机会，他要把握住这样的机会。清醒后的父亲，用发抖的声音问：

　　你叫啥？

　　……琴不答，低着头，提防着父亲的双脚。

　　家在哪旮旯住？

　　你今年多大了？

　　琴无言相对。但这并没有影响父亲的积极性，琴回答不回答这都无所谓，反正他此刻已紧紧地把琴搂定了。自己搂定的女人，难道还会跑了？

　　琴不说，父亲仍说：

　　我叫石光荣，三十二师的师长。

　　父亲望着怀里的琴。琴的头一直低垂着，她的身子一直很别扭地在父亲的面前斜侧着，力量不是投向父亲的怀中，而是自始至终一直向外挣扎着。这让父亲很不舒服，也很累，他的手臂一直在和琴的身子较着劲。但父亲不计较这些，琴越向外用劲，他越感到琴的身体的实实在在。他觉得自己有义务把自己向琴介绍得更详细些，便又说：

我老家住在靠山屯，爹娘都冻死在老林子里了。

父亲说到这里，琴抬了一次头，很快地望了父亲一眼，又把头低下了。

父亲闻见了从琴头发里散发出的桂花油味，这气味让父亲心里甜滋滋的。

父亲还说：我受了十八次伤。

父亲说完这话，他感到琴的身子颤抖了一下。父亲没有多想，琴的一言不发让他有些着急，于是他又说：我都三十六岁了！

说完之后，琴仍没有什么反应，她的头更低了，身体仍向外撑着，头垂在父亲胸前，那样子似在和父亲顶架。

父亲说：我都三十六了！这些年一直打仗，打完小日本，又打老蒋！

父亲还说：现在不打仗了，我都三十六了！……

那天晚上，成双的男女，厮厮扯扯地半推半就地在留声机的伴奏下联欢了两个多小时。在这两个多小时中，他们不时地相互踩在对方的脚上，留下了一片女人的叫声。从一开始，他们把女人搂定，再也没有放开过一会儿，他们就那么艰难地、很累地不时地迈动着自己的双腿，仿佛是在行军。最后他们个个都大汗淋漓，胳膊发麻，腿发酸。在深夜到来之前，终于结束了累人的联欢。

父亲这时显得很有心计，在政治部首长宣布今天的联欢到此结束时，他已经没有理由再搂着琴不放了。他一放开琴，琴便像一只出了笼的小鸟很快从父亲的身边逃脱了。父亲毫不犹豫地追了出去，那时父亲已经想好了，琴就是走到天涯海角他也要把她的行踪搞清楚。令父亲大感意外的是，琴并没有离开军区大院，三转两转走进了一幢楼里便消失了。父亲觉得已经没有必要再跟踪下去了。

父亲很快就弄清楚了，那幢楼是军区文工团的驻地，而琴就是军区的一名文工团员。父亲真是心花怒放了。他觉得日后娶琴那是板上钉钉一样的容易。父亲万没料到，求爱之路是那么的艰辛和坎坷。

那天晚上联欢会之后，父亲已经死心塌地地爱上了琴。在以后的日子里，他只要一有时间，便直奔文工团那幢楼而去。他去文工团时，不是一个人，而是带着警卫员小伍子。小伍子二十岁不到，显得很机灵，已经随父亲出生入死好几个年头了。

父亲来到文工团后，他总是很容易地见到琴。那时琴有许多演出任务。共和国刚成立不久，古老的沈阳城内百废待兴，各种团体、机关如雨后春笋纷纷诞生，于是就有许多要庆祝的事。庆祝时自然少不了演出，文工团员的琴在白天的时候，就要不断地排练新节目。父亲见到琴时，大都是在琴排练的时间里。那天晚上的事情之后，琴似乎已经不认识父亲了。父亲每次出现在文工团的训练场里，琴连眼皮都不抬，仿佛从来没有见过父亲。父亲对这些并不计较，他站在那里，很痴情很专心地看着琴在唱歌或跳舞。警卫员小伍子已经看出父亲和琴之间的一些苗头了，他殷勤地为父亲搬来一把椅子，他希望父亲能更舒服地看琴。他的愿望没能得到父亲的理解，父亲不坐椅子，而是抬起一只脚踩在椅子上，手里摇晃着马鞭。父亲进城后很长一段时间里仍然骑马。

琴不理父亲那一套，仍专注地唱歌或者跳舞。琴的歌声异常悦耳动听，琴排练时的歌声，是父亲一生中听过的最美妙的声音。琴跳舞时，在父亲的眼前展示出了美好的身段，女人的曲线暴露无疑。土包子似的父亲，以前哪见过这些？他痴了，他呆了，他走火入魔了，他恨不能马上张灯结彩把琴娶过来。

中午开饭的时间到了，排练暂时停了下来。琴和那些文工团员收拾道具，准备吃饭了。父亲觉得时机到了，他转过身冲身后的小伍子说：去，把那丫头请到咱们师去吃饭！

聪明的小伍子早就知道那丫头指的是谁了，得令之后，很快来到琴的面前。小伍子冲琴说：哎，我们师长要请你去吃饭!

琴瞄了眼小伍子,理都没理,背过身去把自己的辫子散开,让一头浓黑的秀发披散下来。小伍子又凑上去说:哎,说你哪!听见没有?我们师长说了,中午他要请你吃饭!

琴仍是不理,她在快速地重新把辫子梳起来,冲几个女伴说:等等我,马上就来!

小伍子受到了挫折,他跑过来冲父亲说:师长,这丫头不理我,就像没听见我说话一样。

父亲不满地叱了句小伍子:笨蛋,你就不会别的招了!

小伍子一拍脑门,冲父亲说:瞧好吧,师长!说完转身冲琴追去。琴已经在随同伴往外走了。小伍子几步就迫上了,他大声道:站住!他这一声喊,不仅让琴站住了。同时也让琴的同伴站住了,她们吃惊的是,这个小兵敢在这里撒野。

小伍子不理那些,他单刀直入地冲琴大声命令道:走,跟我走!说完就拉住琴的一只胳膊。琴愤怒了,也大着声音说:滚开!我不认识你。

其实琴的同伴早就看见父亲和小伍子了。起初她们以为父亲和小伍子只是单纯地看她们排练,后来她们发现父亲盯着琴的眼神已经不对了,她们以为又遇到了一个单相思,没想到这个单相思还要动手抢人。她们这下不干了,七嘴八舌地冲小伍子嚷开了:干啥:干啥?想抢人咋的？抢人也不看看这是啥地方！她们把话说给小伍子，却瞥着父亲。她们知道，抢人的主意是父亲出的。

小伍子也不甘示弱，他还从没办砸过父亲交给他的任务，把琴抢到手是他的任务。完不成任务就对不起师长。于是小伍子和她们对吼了起来：抢人咋的？就抢了！说完拉着琴就走。琴不干了，挥手打了小伍子一个耳光。那耳光被琴扇出一声脆响。小伍子没料到琴会来这一手，他望了眼父亲。父亲也恼怒了，他挥着马鞭的手在颤抖。小伍子理解父亲，师长要发火了。果然父亲很响地甩了一下马鞭，大喝一声：把她给我拖回去！

父亲喝完转身就走了。小伍子不顾脸上热辣辣的疼，一躬身子便把琴背了起来。他更不顾琴劈头打来的巴掌，更不管那些丫头们的乱叫乱喊，他背着琴一阵风似地跑出了文工团，一直跑回三十二师。路人不明白发生了什么事，都驻足观望小伍子背着琴飞奔的身影。琴已经没有力气再打小伍子了，她闭上眼睛，任凭小伍子狂奔。

父亲骑着马已先小伍子一步回到了师里，他命令炊事班，加菜上酒。小伍子赶到时，父亲已在自己的宿舍里等候多时了。菜已经上来了，是大块红烧肉，还有韭菜炒鸡蛋，酒是东北的高粱烧。来到三十二师的琴一言下发，她站在父亲的对面仇恨地盯着父亲。

父亲的气还没有消，他喝了几口酒，吃了块肉，嚼巴嚼巴咕噜一声就咽下去了。他仍用一只脚踩在椅子上，指着琴身旁的一把椅子说：你坐！

琴不坐，仍仇恨地望着父亲。父亲大怒，高声断喝：让你坐你就坐！

许是父亲的狂暴一时震住了琴，琴一屁股坐在椅子上。第一回合父亲胜利了，他的怒气消了一些，父亲又说：你吃！

琴不吃，低着头，目光恨恨地盯着别处。父亲不理琴了，他大口地喝酒，大块地吃肉。他吃了一气，喝了一气，酒就有些上头了。于是父亲就前不着村后不着店地乱说一气：没见过你这样的丫头，还打人！我都三十六了，你能咋的？日本鬼子都让老子赶回东洋了，老蒋不也是让我们弄到台湾去了？！我都三十六了，你这丫头能咋的？！

父亲又喝了一碗酒，然后就醉了。在醉前，父亲又喊来了小伍子，他冲小伍子说：让她吃，吃完把她送回去。看这丫头能咋的！说完一头栽在床上，呼呼地睡去了。

那天，琴临离开时扔下一句冷冰冰的话：胡子！

小伍子听完琴这句话，没有生气，反而笑了。小伍子笑着说：小心我们师长一枪崩了你。

有了这一次之后，父亲以为离娶琴的日子不远了，他没有料到事情发生了意外。

军区的参谋长胡麻子也看上了琴。胡麻子是外号，因为脸上生满了麻子而被人称为胡麻子。胡麻子在长征时就已经是团长了，那时胡麻子就已经结婚了。长征开始时，老婆就已经怀孕了，走到草地时，老婆早产了。他把老婆背到一个避风的柳丛后，准备亲自为老婆接生。不幸的是，早产的孩子无论如何也不能顺利地生产，疼得他老婆爹一声娘一声地叫。他背着老婆行军时，已经掉队了，现在茫茫草原连个人影也看不见。他冲着老婆喊：使劲，你快使劲！老婆哪里还有什么劲，一路上的行军，吃没吃喝没喝，万里征程早就耗去了她的力气。胡麻子急得团团转，正在这时，他又发现了敌人的追兵。敌人呈扇形向他们包围过来，子弹在他的头顶飞过。胡麻子知道，再这样下去被敌人俘虏是在所难免了。如果背着老婆一起走，也无法跑出敌人的包围。这时，老婆也清醒过来，她冲胡麻子说：你快跑……等革命胜利了，你再找一个女人……胡麻子给老婆跪下了，他不能眼睁睁地看着老婆落入敌人之手，突然，老婆抢过了枪，撕心裂肺地喊了一声：等革命胜利了，你来给我收尸！枪响了，老婆躺在一片血泊之中，胡麻子满眼泪花地跳起来，抬起枪，一边向敌人射击，一边向自己的队伍追去……

胡麻子一直牢记着老婆的话：等革命胜利了再找一个女人。在风雨飘摇的战争岁月中，他一直没有勇气再找个女人。现在革命胜利了，胡麻子也已经四十出头了，也就是说，这辈子的好时光都快过完了。胡麻子有千万条理由找一个称心如意的女人，享受一次生活。他在文工团演出时，看上了琴。他觉得只有琴才能配他走完后半生。

于是，他乘坐的那辆美式吉普车，经常停在文工团的楼下。父亲那匹高头大马也时常拴在文工团楼下的树上。这就引发了一场不可避免的冲突。

父亲和胡麻子两人同时出现在文工团的排练厅里，惊动了文工团所有的人，包括年过半百的文工团长。这是位在延安时期参加革命的老文艺工作者。他命人给胡麻子和父亲端茶倒水，一边意义不明地说：欢迎领导来检查工作。

胡麻子就挥手说：我们就是看看，忙你的去吧！

老文工团长也就退下了。

不用说，胡麻子知道父亲的心思，父亲也知道胡麻子的心思。但两个人却不知道他们是一对情敌，父亲以为胡麻子看上了别的丫头，胡麻子也这么认为。两人嘻嘻哈哈地坐在一起喝茶看女人时，胡麻子冲父亲打了一拳说：你这小石头，还年轻嘛，急啥子嘛！父亲说：操，我都三十六了！兴你急就不许我急了？两个人一边说笑一边打着哈哈。父亲在胡麻子眼里是年轻的，也是最受器重的一名师长。胡麻子在父亲的眼里是位能征惯战的首长，两人趣味相投，感情非同一般。

当两个人发现他们同时喜欢上琴时，胡麻子的脸色不好看了，父亲的脸也沉了下来。胡麻子先站了起来，他冲父亲说：石光荣同志，你出来一下，我有话对你说！

父亲也站了起来正色道：参谋长同志，我也有话对你说！

两个人一本正经地来到外面走廊上，胡麻子拍一拍父亲的肩膀说：我说小石头，你算了吧，看上谁你说，我给你做媒！

父亲觉得事情麻烦了，但他无论如何也不能把琴拱手让给别人。是他先发现的琴，他已经抢占了这块高地，要是有人胆敢来夺，那只能是一场殊死决战了。父亲见胡麻子这么说，也不甘退步地道：参谋长，这人是我先看中的，你再换一个吧。到了你结婚时，我给你当伴郎！

少扯，还是你换一个！胡麻子说。

你少扯，你换一个！父亲说。

小石头，老子算瞎眼了，让你当师长！胡麻子激怒了。

父亲也当仁不让，他见胡麻子不肯退步，也急了道：我看你不配找那丫头，你这是老牛吃嫩草！

王八蛋，老子毙了你个小石头！说到这，胡麻子抖出了枪。父亲的话大大地刺伤了胡麻子的自尊心。

父亲见胡麻子真的急了，也冲不远处的小伍子喊："操家伙！"父亲的枪一直在小伍子身上背着，小伍子听见父亲让他操家伙，几步就窜了过来。他掏出枪"哗啦"一声顶上了子弹，虎视眈眈地冲着胡麻子。在他的眼里首长只有一个，那就是父亲，他才不管什么参谋长不参谋长呢。

胡麻子被眼前的情景气坏了，脸上的肌肉颤动着，握枪的手也在抖着。他语不成声地说：好你个小石头，好小子，他妈的你好小子，看老子毙不毙你！

说完"哗啦"一声也把子弹上了膛，一场血腥的战斗即将爆发了。早就在暗中观察动静的老文工团长冲了出来。其实文工团长早就明白了两个人的来意。他知道两个人同时看上了琴，他没料到的是，两个人会为琴舞刀弄枪地动真家伙。他在心里惊呼一声，要出人命了！于是奋不顾身地冲出来，用身体挡在父亲和胡参谋长之间。文工团长先劝父亲，他说：这位首长，息怒哇，有话好说，好好说嘛！

父亲用鼻子哼了一声道：胡麻子你休想老牛吃嫩草！那丫头是老子的，你别想动一根手指头：

胡麻子也说：你也不是他妈的牛犊子！也比我小不了几岁。那丫头是老子的，你也休想动她一指头！

文工团长又劝胡参谋长道：首长，别生那么大的气嘛！咱文工团的姑娘多的是，要是你们愿意，我给你们做媒，保证你们未来的夫人个个漂亮。

父亲和胡麻子真刀真枪地在文工团的走廊上较量的过程中，周围聚满了看热闹的人，有文工团的演员，也有来文工团办事的人。他们都不明白，两位首长为什么要拔枪相对。胡参谋长首先考虑到了自己的身份，他哼了一声，收起枪，冲父亲道：小石头，你小子他妈的！父亲也不甘示弱地道：胡麻子，谁怕谁呀！

胡参谋长走了，父亲也走了。出了文工团的楼，胡参谋长坐进了他那辆美式吉普，父亲骑上了他那匹高头大马。父亲冲着吉普车的后屁股说：老牛，吁！

父亲和胡参谋长为争一个女人而吵架的事，很快被军区领导知道了。他们首先批评了胡麻子，批评他不该为一个女人而失去了参谋长的身份，同时指出要找老婆可以通过组织嘛。

于是军区首长一个电话打到了文工团，让文工团长带上所有未婚女文工团员让胡参谋长挑选。文工团长留了个心眼，他没敢让琴去，他怕琴万一被参谋长留下，真的会惹出人命来。胡参谋长也怕把事情闹大不好收场，他了解父亲是个说得出也做得出的主。他便没再提琴，而是又看上了一位叫柳的姑娘。柳姑娘不大情愿，只有军区首长亲自出面做柳姑娘的工作。

父亲经过一场风波之后，他和琴的关系不想再拖下去了，他要快刀斩乱麻了。

警卫员小伍子很快便从文工团长那里打听到了琴父母的住址，父亲的意思是要拜上一拜未来的岳父岳母的。父亲在自己的婚姻大事上显得老谋深算，他从琴的眼睛中已经看出她并不喜欢自己，要想赢得琴的爱情还有慢慢的长路在等着他。父亲三十六岁了，他不能再等下去了。于是，在沈阳初秋的一天，父亲骑着高头大马，在小伍子的引领下，找到了琴的家。琴的家住在沈阳城内著名的中街上，琴的父母已有六十开外了，老两口老年得子生下了琴。琴的一家，是世代开金店的，生意最火爆时，还要数琴的爷爷。那时，世道还算太平，在国泰民安的环境中生意也最好做，琴的一家在爷爷那一辈把生意做到了高峰，沈阳城内金店就开了好几家。待爷爷望着越聚越多的金山银山不愿离开这个世界而又不得不离开时，琴的父亲当上了金店的掌柜。起初的买卖仍顺风水，接下来就不行了，先是日本人侵占了东北。一时间，东北大地狼烟四起，逃荒要饭的百姓不计其数。琴的父母是极聪明的人，他们似乎看到了将来的日子并不好过，能平安地活命是比眼前什么都要紧的事情，于是狠下心来，卖掉了金店。即使不卖金店，生意也不好做了，人们连饭都吃下上，还有谁买金货呢？这是琴的父母非常明智之举。琴的一家，在沈阳城内是很有名气的，汉奸、日本人经常不断地来找琴一家的麻烦。琴的父母只能花钱买平安了，于是把不少黄灿灿的金货源源不断地送给日本人和汉奸。他们在日本人的眼里，是大大的良民，琴的父母花钱买来了平安的日子。日本人投降，国民党占据了沈阳城，琴的父母又用同样的办法买通了国民党。后来国民党溃败到关内，解放军进驻沈阳城，这时琴父母的家底已没有什么了。但在大军南下时，父母仍搜罗出最后一点积蓄送给了解放军，沈阳城政府仍记着这一笔。

现在琴的父母已经是一贫如洗了。琴的父亲在家门口开了一个小门脸，靠加工金、银首饰度日。当父亲来到琴家时，琴的父亲戴着老花镜，正在加工一只银手镯。父亲的马蹄声使琴的父亲抬起了头，他看见了父亲，心里莫名其妙地紧了一下。在刚刚太平的日子里，百姓对军人仍心有余悸。虽说解放军不同于日本人，也不同于国民党，但在百姓们的心里仍重重地留下了一道阴影。

父亲从马上跳了下来，他手里提着马鞭，表情是舒展的，他要给未来的岳父岳母一个良好的印象。他走过去就说：这位大叔，你可是琴的父亲？父亲已经知道琴的名字了。

老金匠忙答：正是，正是！这位首长请屋里坐吧。

父亲要的就是这样的效果。他把马鞭递给小伍子，跟在老金匠的身后走进琴家。父亲面对着琴的父母一时不知从何说起。老金匠忙前忙后，又是点烟又是倒茶。他们一家对解放军并不陌生，琴还在文工团里当着演员。当初琴参军时，文工团长就曾到家里坐过，那一次，文工团长给琴的父母留下了很好的印象，他们才同意让琴参军。父亲的出现，他们差下多把父亲当成一家人了。琴的母亲又热情地拿出瓜籽招待父亲。父亲仍然不知如何开口，他紧张而又有些羞怯地望着琴的父母，一时竟不知如何是好。后来，他干脆眼一闭心一横，"扑通"一声就跪在了琴的父母面前，干裂生硬地叫了声：爹、娘——

父亲这一叫，可叫傻了琴的父母，他们一时没回过味来，他们对望一眼，很快又把目光集中在了父亲的身上。父亲的决心已定，一不做二不休了，他又说：我要娶你们家的琴！

这下琴的父母听明白了，他们搓着手，忐忑不安地绕着父亲转了三圈。最后还是琴的父亲先醒悟过来，他忙用手扶起父亲，一边扶一边说：这怎么说话的？快起来，快起来，你看你这孩子！

琴的父亲居然称父亲为孩子，这令父亲大为感动。在那一瞬间，父亲想起了记忆中的父母，他的眼圈红了一下。在他站起来的过程中，哽着声音又说了句：我是非琴不娶了！你们就是我日后的爹娘了！

父亲字字血、声声泪的表白，着实感动了琴的父母。他们再一次仔细地打量着父亲，父亲的身材孔武有力，面相粗糙，却也浓眉大眼，自己的女婿能长成这样也算不容易了。这两位饱经战争磨难的老人第一次经过这样的事，在他们的记忆里，日本人还有国民党，他们要看上哪家女人，才没有这么多好话可说呢，拉走就是了。父亲的举动，对他们来说简直是抬举，两位老人还有啥话好说？女儿都是解放军了，嫁给解放军的首长那是天经地义顺理成章的事情。

琴的父亲扯着父亲的手一遍遍地说：好，好，好哇！

琴的母亲咧着嘴，她心里很乱，不知是哭好还是笑好。她一时无法说清，女儿嫁给眼前这个男人是放心还是不放心，她不能说同意也不能说不同意。最后，她还是冲父亲咧着嘴笑了。

父亲眼见着自己大功告成了，看着眼前琴的父母已经把他当成一家人了，于是很豪气地说：爹、娘，你们放心，日后有我吃的，就有你们吃的。我吃干的，决不让你们喝稀的！

哎——哎——琴的父母答。

父亲不想再恋战了，他冲未来的岳父岳母拱了拱手，一转身走了。父亲兴奋地喊，小伍子，牵马来！

父亲走后，琴的父母有这样一番对话：

母亲：她爸，这小伙子长得咋有点老呢？

父亲：老啥老！你没见浓眉大眼的，这就中了！

母亲：不知他当的是啥官？

父亲：我看小不了，挎枪骑马的，不是这个长，就是那个长！

母亲：琴日后嫁了他，能行？

父亲：咋不行？嫁给带长的，以后咱们也算有个靠山了。

父亲悬在心里的一块石头总算落了地。

父亲走后，琴的父母便把琴找了回来。琴一见父母的神色就什么都明白了，她哭了，爹一声妈一声地叫，受了多大委屈似的，一边哭一边说：我不干呢！我不想嫁人呢！

母亲以女人之心理解着女儿也宽慰着女儿，母亲一边劝琴一边说：哭啥哭！你也不小了，都二十了，女人早晚不得嫁人吗？

父亲对娘俩的婆婆妈妈甚感不满，他冲女儿吼了一声：别哭！这是你的福气哩！

女儿仍哭，哭得悲痛欲绝、死去活来的样子。没有人知道，琴自己正在恋爱，父亲的插足，使她的爱情夭折了。琴在哭自己夭折的爱情。

琴的父母在这边死去活来，掰馍馍说馅地劝着琴。父亲已经在那边大张旗鼓地开始张罗婚事了。结婚对于刚进城的部队来讲，已经习以为常了，就像起初的恋爱一样，集体上阵，一个冲锋下来，就有一连人结婚了。父亲的婚礼算是迟到的。父亲很快从机关里开出了结婚证明，一个电话打到文工团，文工团长不敢怠慢也开出了琴的结婚证明。两个证明放在一起，交给地方政府，由政府出具一张证明，就算结婚了。

琴还在家哭闹时，父亲在那边已办完了所有的手续。办完手续的父亲，派小伍子牵着马，另外又派出一连战士来接新娘子琴了。一连人马浩浩荡荡地开到琴的家门前。父亲那匹高头大马身上披红挂绿，它还是第一次经历这样的事情，显得很兴奋，站在琴家门前引颈长

关于《激情燃烧的岁月》

"激情"这部电视剧是根据我的"父亲"系列小说的《父亲进城》、《父母离婚记》、《父亲离休》等改编的。

电视剧播放之初就受到了观众的喜爱，刚开始在一些城市台播放，每在一座城市播放，便火一座城市，收视纪录连创新高。短短的半年时间里，北京电视台影视频道就连续重播了七次。其他城市也如此。

这部电视剧能让这么多观众喜欢，我想也不是偶然的。我想"激情"这部戏成功的最主要因素，在于它讲述的是情感故事，和我们的广大观众形成一种沟通，得到了人们的认可。可以说"激情"这部戏走进观众的心里去了。

因为这部戏的成功，于是我又有了第二部作品《军歌嘹亮的年代》，是根据我的"父亲"系列小说的《父母大人》、《同父异母》、《父亲的情感生活》等几篇改编的，由中央电视台出品。这部戏的风格和模式与"激情"戏有异曲同工之处。希望不远的将来就会和广大电视观众见面，我预计观众仍会喜欢它。

同时，根据我的另外几部小说改编的电视剧《幸福像花样灿烂》、《角儿》、《母亲活着真好》、《红》、《红颜》等也在操作中，明年晚些时候也将会在屏幕中与观众见面。

我的创作风格和模式，是坚持现实主义，贴近读者和观众。我以为，只有这样，读者和观众才能喜欢；有了他们的厚爱，我才会一如既往地创作下去。

谢谢大家，谢谢你们。

石钟山 2002. 8. 6

嘶，小伍子就喊：请新娘子上马喽！一连战士也齐声呐喊：请新娘子上马喽！喊声惊天动地。

琴的父母连拉带扯地把琴从屋里拖了出来。琴仍然在哭，一边哭一边喊：不呀，不呀——琴一交到一连人马手里，那就由不得琴了。不管她是哭是喊，往马背上一掼，打马便跑。整齐的脚步声，伴着琴无力的哭泣声，终于远去了。

父亲结婚那天，三十二师像过年一样的热闹，猪杀了，羊宰了，全师放假一天。在一个操场上，摆出了上百桌酒席，黑压压的一片。父亲的战友、首长都前来庆祝，那些日子部队几乎天天过年，因为天天有人结婚。琴一被接到三十二师，全师上下沸腾了，全师上下齐声呐喊：新娘子，新娘子！——喊声如滚过的一片雷鸣。

进了新房的琴仍在哭闹。父亲不管她闹不闹，心想，你都是我的人了，哭有啥用，闹有啥用，看老子喝足了酒怎么收拾你！

父亲命令小伍子看好新娘子，自己便来到操场上喝酒了。酒是大碗装的，肉是大盆盛的。父亲就亮起嗓门说：今天我结婚了，是三十二师大喜的日子。来，干！父亲带头干了。

干！几千人一起呐喊。

正吃着、喊着、喝着，胡麻子来了，他不是一个人来的，还带来了新夫人。新夫人果然年轻漂亮，喜滋滋地随在胡麻子身后。他一下车就大着嗓门喊：小石头，老子来喝你喜酒来了!

父亲已有些酒意了,他没想到胡麻子会来。父亲高兴了,举着酒碗就冲胡参谋长走去,一边走一边说:你这条老公牛,先干了这一碗!参谋长就干了。喝光了酒,他没看见琴,就问父亲:新娘子呢?

父亲不好意思地说:奶奶地,在屋里哭哪。胡参谋长也就哈哈大笑,笑过了,把嘴凑到父亲的耳边说,我刚结婚时也这样,收拾完了,她就不哭了。

说完就看身旁的新夫人,新夫人正满面潮红地望着他。他就又笑了。

参谋长临走时,拍着父亲的肩膀大声他说:你这个小牛犊子,好好干吧!

说完大笑着走了,他还要到别的师去庆贺。那些日子,他们有庆祝不完的婚礼。

父亲又端起酒碗向将士们走去,他要让全师官兵喝好,吃好,然后他才能去收拾琴。

很晚了,酒宴才结束。

父亲东摇西晃地向新房走去。那天晚上,他用三十六年积攒起来的力气,收拾了琴。琴已经没有力气再哭泣了。

父亲婚后的第二天,文工团出了一件事,一名男文工团员,企图用上吊的方式结束自己年轻的生命。幸亏人们发现得及时,七手八脚地把他从绳子上解了下来,才幸免了一场灾难的发生。那名男文工团员叫枫，后来父亲有幸见到了枫。枫长得很白，并有一双忧郁的目光，的确很年轻，也就是二十刚出头的样子，唇上的茸毛刚刚冒芽。父亲在看完枫之后，在心里说：哼，一个小毛孩子！父亲没有把枫放在眼里。

在起初的日子里，婚后的父亲并没有享受到家庭带给他的乐趣。琴从进到父亲这个门，一直没有和父亲说过一句话。琴在婚后的第三天，便又回到了文工团。文工团有许多演出在等待着琴，琴上班时吃的是食堂。琴上班的第一天晚上，又如婚前一样准备睡到自己曾住过的宿舍里，被老文工团长发现了，他怕琴不回家，半夜三更父亲来找，那结果会使文工团乱七八糟的。所以，文工团长死活不依，并亲自把琴送了回来。父亲看着回来的琴，一声不吭，只是笑。琴不理父亲，穿着衣服就躺下了。父亲也不在乎，这些天，都是由父亲为琴脱衣服。父亲为琴脱衣服时，心里充满了激情和快感。父亲一边为琴脱衣服，一边在心里恶狠狠地说：看老子今夜怎么收拾你！

琴无法在文工团住下去，演出之后，她便径直回到住在中街的父母家中。琴在夜深人静时刻突然出现在家中，这可惊坏了父母。他们在女儿婚后才知道父亲是一位师长。师长对他们老两口来说，已经是个了不得的大官了。老实本分的百姓，别说是官，就是在兵的面前他们也会毕恭毕敬的。他们在女儿婚后，曾暗自庆幸老天有眼，让他们的女儿攀上了高枝。那几日激动得老两口整夜无法入睡，不仅女儿日后会有享受不完的清福，他们也会跟着沾光的。女儿的突然而至，老两口的心境可想而知了。新婚没几天，女儿就跑回来，这成了啥事！老两口从炕上爬起来，穿戴整齐，不由分说，齐心协力地把琴又送到了父亲的门下。父亲仍不说话，其实他的心里乐开了花，心想：看你个丫头能整出多大动静，还不得乖乖地回到老子的怀里！这一夜，自然是父亲又一次为琴脱衣服，琴不推不拒，闭着眼睛，死了似的任凭父亲摆布。

　　从那以后，琴没处可去了。每当演出完她只能回到父亲身边。琴一日三餐吃食堂，父亲也吃食堂，只有晚上，父亲才和琴双双躺在床上，干一些一家人才能干的事情。父亲对这一切满不在乎，他已经习惯了吃食堂的日子，他觉得这没什么不好。让父亲不满的是，琴从结婚到现在还没有和他说过一句话，甚至连正眼都没有看过他一次，这使父亲很烦恼。在烦恼中，父亲想起了小白脸枫，琴不理父亲也就是说琴仍没忘记枫。枫仍在文工团里，琴天天去文工团和枫在一起，他们之间会不会发生点别的事情？父亲一想到这，便警觉起来，他胡思乱想了一夜。

　　第二天一早，他把警卫员小伍子叫到了自己的办公室，如此这般地交待给小伍子一个任务，小伍子得令而去。

从那以后，在文工团的院子里，经常可以看见小伍子活动的身影：有时他趴在门缝里看琴和一帮青年男女练功；有时他趴在食堂的窗子上看琴吃饭；就连演出，小伍子也不放过，前台后台地转悠。总之，凡是琴的身影在哪里出现，总有小伍子活动的足迹。直到演出结束，琴走在前面，小伍子随在后面，一直等琴走进父亲的房间，小伍子才肯离去。

第二天一早，小伍子向父亲报告道：

报告师长，一切正常！

父亲指示：继续侦察！

小伍子又开始了新的一天的工作。

有时父亲也会出其不意地出现在文工团院里，他一边和熟人打着哈哈，一边向排练厅走去，直到他看见琴好端端地在那跳舞或者唱歌，他才放心地离开。几次之后，老文工团长也于心不忍了，他打着哈哈冲父亲说：师长呀，忙你的吧，这里有我哪！

父亲干干地笑笑道：那是，那是。然后骑马离去。

父亲和琴这种不即不离的关系，一直持续到琴怀上了林。起初琴不知道自己怀孕了，有一天她又呕又吐，才知道自己怀孕了。

一天夜晚，父亲又想再一次收拾琴，琴一把推开父亲道：别碰我，我怀孕了！这是琴第一次和父亲说话。当父亲得知琴怀孕的那一刻，他乐疯了，一直从床上滚到地下，在地下又滚了三次之后，躺在地上手舞足蹈地大喊大叫：我小石头有儿子了，有儿子了！

父亲悬着的一颗心也就落下了，他高兴的是不仅自己有孩子了，更让他高兴的是，这个孩子是他和琴共同拥有的，也就是说，他和琴之间的关系被一根钉子钉死了，琴想跑也跑不了了。

从那以后，他撤回了小伍子。但在琴演出之后，他会让小伍子去接琴，他怕天黑路远，琴有什么闪失。那时父亲不再骑马了，换成了美式吉普车。

晚上，父亲一听到吉普车响，便开始张罗着为琴加夜餐，锅碗瓢盆结婚那天父亲就预备好了，可惜一直没有派上用场。这下用上了。父亲忙碌着这些，心甘情愿，他觉得这不是在为琴一个人劳碌，还有他尚未出世的儿子。从琴怀孕那天开始，他就坚信，一定是个儿子。后来的事实应验了他的预感。

琴进门后的第一件事，就是要坐在床上喘息一阵子，琴的肚子已经很明显了，她走起路来也有几分吃力了。但她仍然要去文工团上班，演出是无法进行了，她只能帮助其他演员进行排练。琴坐在床上，父亲便嬉皮笑脸地走过来，用极温柔的声音说：丫头，想吃酸的还是辣的？自从结婚后，他一直称琴为丫头。丫头琴的口味没谱，今天想吃酸的，也许明天就想吃辣的，弄得父亲一直很惶惑。有一阵，他也吃不准琴到底怀的是男孩，还是女孩。

辣的！辣的！琴不耐烦地说，同时舞动双脚，把鞋踢飞出去，顺势躺在床上。

父亲这时一点脾气也没有，他搓着手走到灶台旁，冲小伍子说：升火，升火！

小伍子很快把火升了起来，父亲笨手笨脚地开始下面了。小伍子看着父亲的样子于心不忍地说：师长，我来吧！

父亲说：我来，我来！还是我来！

吃完面的琴，便开始脱衣服睡觉了。自从怀孕之后，琴再也没让父亲脱过衣服，但她仍然不理父亲。睡觉的时候，她时常把后背冲着父亲，父亲不计较这些，他在心里笑一笑，心想：一切都会好起来的。从琴自己不主动脱衣服到主动脱衣服，从不说话到说话，琴已经有了显著的变化。父亲相信，这种变化还会继续下去的，一直到他们完全融合在一起。父亲错误地估计了琴，虽然在以后的生活中，琴接纳了父亲，但直到父亲生命结束，也没能和琴融合在一起。

琴的确在慢慢地承认着眼前发生的事实，但她的心里仍无法接受父亲。她仍在缅怀她夭折的爱情，那才是她真正的爱情。琴一生都在刻骨铭心地怀念着她的爱情，是父亲毁了她的爱情，这是她无法和父亲融为一体的关键所在。

父亲对琴没有太多的挑剔和不满，他已经感到很知足了。一个吃百家饭长大的野孩子，不仅进了城，而且讨了位如花似玉的姑娘，马上又要有儿子了，他能不满足不高兴么？就是梦中他也是笑着的。

　　琴的父母虽然胆小怕事，但在琴的身上所做的努力，可谓远见卓识。琴的家庭虽不是书香门第，但文化的基础源远流长。早几辈他们就意识到了文化与生意的关系，他们一边做生意，一边对子女的教育进行大量的投资。琴是个受益者。琴在七八岁的年纪，家里便为她请来了先生，教她识文认字。那时，金店的生意已经开始败落了，但琴的父母仍然坚信，金、银都是身外之物，唯有文化才属于自己。文化是打开聪明之门的钥匙，人要是聪明起来，还愁日子过不富裕？琴在十五岁那一年，以优异的成绩考取了沈阳城内唯一一家私立女子师范学校。琴在这所学校里，不仅学了许多知识，同时还学会了唱歌跳舞。琴是个很聪明的人，家族中优秀的血液遗传给了她，她没有理由不聪明、漂亮。琴在唱歌跳舞方面又极具天赋。沈阳城一解放，东北军区的留守处去学校招文艺兵时，很快便挑中了琴，于是琴顺理成章地成了一名解放军的文工团员。

　　琴来到文工团不久，她就认识了枫。枫是从上海千里迢迢投奔延安的知识青年。枫没去延安之前，在一所艺术学校里学习作曲。枫经过延安的洗礼，很快就成了一名合格的共产主义文艺战士。后来他又随大军开赴到了东北，于是他就在东北扎根了。枫是文工团的创始人之一，老文工团长是他的恩师。枫和所有搞艺术的人一样，情感丰富又多愁善感，既脆弱也坚强，这是所有搞艺术的人无法摆脱的情结。

按理说，枫这样的性格，不大会讨女孩子的喜欢，但他很快赢得了琴的爱情。因为枫的性情已经赢得了琴的理解和沟通，况且，枫又是那么的才华横溢。枫创作的歌曲广泛地在部队里流传，是一首又一首广为流传的歌曲，枫以骨子里固有的气质赢得了琴的欢心。琴在演唱枫的歌曲时，可以说是全身心地投入，这时她身体里的每一个细胞都是含欢带笑的。唱到高潮处，琴会流下激动幸福的眼泪。

琴的一往情深也很快打动了枫，枫在那些美好难忘的日子里坚定不移地认为琴就是他理想中的佳人。两颗青年男女的心在艺术的氛围中，终于紧紧贴在了一起。练功房里、宿舍中留下了他们美好而又感人的一幕又一幕。

如果没有父亲的胡搅蛮缠，琴和枫在以后的岁月中，肯定会成为一对模范恩爱的革命伴侣。他们料想不到的是，这时，父亲出现了。

其实在父亲出现后，他们仍然是有机会的，如果这时枫再果绝一些，三下五除二地和琴结婚，父亲也会一点脾气都没有。正是枫的优柔寡断，葬送了他们的爱情。

琴也曾提出快刀斩乱麻地结婚算了，枫一时显得犹豫不决，搞艺术的人的劣根性在此时暴露无疑。枫彷徨无助地说：革命刚刚胜利，有许多大事还没有干，咱们都年纪轻轻，这时结婚怕不好吧。

琴在枫的优柔面前一点脾气也没有了。

就在琴被父亲强行抢到三十二师去吃饭那一天，琴已经清楚地看见自己的末日就要来到了。那天晚上演出之后，她找到了枫。枫一筹莫展，他在琴的面前流下了软弱的泪水。琴在绝望中颤抖着身体说：那你就一枪把那个混蛋师长崩了！

说完从枫的腰间掏出手枪塞在枫的手里。那时，男文工团员都配有武器。枫握住了枪，他握枪的手似被蛇咬了一下地那么一哆嗦，枫自从参加革命后，还从来没有杀过人。他不知如何杀人，更不知道如何才能杀死同在一个战壕里战斗着的一位战功卓著的师长。枫害怕了，他抖颤着身子，用颤抖的声音说：让我想一想，让我想一想吧！

琴绝望地搂抱住枫，枫在琴的拥抱中"当啷"一声把枪扔在了地上。琴这时是又爱枫又恨枫，那时她就想，要是枫的身上有一点点父亲的豪气，她就是死也不会让父亲得逞。琴哭了，她一边哭，一边紧紧地拥抱着枫，枫是她的梦。枫在琴热烈温暖的拥抱中终于回过神来，他小声地说：那我就杀了他！

在以后的日子里，琴多想听到那一声清脆的枪声啊，结果什么也没有。琴彻底绝望了，在她的面前，是一副更加苍白的脸，还有一双无助迷离的眼睛，那是枫痛苦无奈的形象。

　　就在这时，父亲先下手为强了，他几乎是把琴抢进了洞房，在新婚之夜，狠狠地收拾了琴。

　　软弱无助的枫终于失去了琴，失去了他的初恋。他绝望了，迷惘了，最后他只能选择死亡了，却没有死成。活转过来的枫，觉得活着还是件挺有意思的事，他不再寻死觅活了，只是他显得更加苍白，更加少言寡语了。

　　琴虽然生活在父亲身边，又怀上了孩子，但她仍然在怀念着自己的初恋。

　　琴在用沉默和不情愿与父亲对抗着，她生下了林。在以后的生活中她理所当然地成了林、晶、海的母亲。

　　正如父亲预感的那样，林果然是个儿子。林一落地，便嘹亮地大哭，乐得父亲大着嗓门，冲所有的人高喊：我有儿子了！我石光荣也有儿子了！哈哈，他妈的——

　　伴随着林落地时的歌哭，著名的抗美援朝战争爆发了。

　　在没有战争的岁月里，父亲就像没有地种的农民那样无着无落。在父亲进城后，这短暂的和平岁月里，如果没有母亲琴的出现，他将会憋疯的。好在生理的饥渴和生活的愿望暂时填补了父亲生活的空白。现在，他老婆也有了，儿子也有了，他现在啥都不怕了。于是，在一个月黑风高的夜晚，他率领三十二师雄壮有力地跨过了鸭绿江。

母亲生了林，在文工团里请了长假，她只能一心一意地坐她的月子了。

父亲的部队出师大捷，杀得美国鬼子抱头鼠窜。第一战役结束后，双方都在调兵遣将，准备迎接下一轮的拼杀。在这间隙中，父亲想起了母亲和刚刚出生的林。此时此刻，他无比地思念远在沈阳城内的琴和林。这是他以前从没有过的，从那以后，父亲有了对家的无限牵挂。有了牵挂便觉得有许多话要对琴和儿子说，于是他唤来了小伍子。

他冲小伍子说：我要写信！

父亲说他要写信，并不是他要亲自写信，而是让小伍子替他写。在延安学习时，父亲是学过一些文化的。在学文化方面，父亲天生有些愚笨，往往是这耳朵听，那耳朵出了。他承认自己天生是打仗的料，对学文化并没有什么兴趣。好在在那个年代，对一位将军，文化方面没有什么苛刻的要求。

小伍子很快找来了纸笔。以前父亲有什么事要对上级汇报，都是父亲口述，小伍子执笔。父亲就说：老婆、儿子你们好！

小伍子抬头看着父亲，建议道：师长，这么称呼不好吧？

父亲不满地道：我说啥你就写啥，别啰嗦！

于是小伍子就写。

父亲又说：离别二个多月了，真想死你们了！第一战打胜了，我一根毛都没少，就是想你们哪！

小伍子边写边笑，又不敢大笑，就那么难受地忍着。

父亲不管小伍子笑不笑，仍一本正经地说：老婆你要把儿子给我带好，要是儿子有半点差错，我不饶你！

父亲说到这就吸烟，红晕慢慢地在父亲粗糙的脸颊上扩散。他又想起了和母亲的新婚岁月，此刻，他真的思念母亲了。

小伍子这时提醒道：师长，写完了么？

父亲挥了一下手，仍红着脸说：老婆，我真想你呀！等打败了美国鬼子，看我回去怎么收拾你！

小伍子一脸不解地问：师长，"收拾"是什么意思，你是要打她么？

少废话，让你写你就写！父亲红头胀脸地叱小伍子一句。小伍子就听话地把他不理解的"收拾"二字也写进了信中。

就在父亲在遥远的朝鲜战场上牵肠挂肚地思念母亲和儿子时，家里发生了一件事。这件事和枫有关。

枫所在的文工团，并没有随第一批入朝的将士开赴朝鲜，仍在沈阳城内待命，他们在忙着排练一批新节目。他们知道，这些节目迟早会派上用场的。

满月之后的母亲，在家里呆得实在是没什么意思了，她就抱着林来到了文工团。文工团是她战斗过的地方，这里不仅有她的初恋，同时还有她的青春和欢乐，她无法忘却这里。她抱着林一出现在文工团，便看到了枫，枫正用一双忧郁的目光望着她。

母亲一见到枫，心里便说不清是什么滋味，她期期艾艾地冲枫说：你为什么不去看我？

枫垂下了头，脚尖搓着地板，低低他说：我，我，我——他一时不知说什么好。

母亲的到来，很快引起了战友们的注意。他们团团将母亲围住了，七嘴八舌地问母亲这呀那的，他们还轮流着把林抱在怀里，他们异口同声地夸奖着林。惟有枫站在远处，一往情深地望着母亲。枫的目光，让母亲的心在流血。

母亲很快又回到了自己家中。枫的目光，已使她无法承受了。回家后的母亲流下了伤感的泪水。

就在那天晚上，枫轻声地敲开了母亲的房门。此时三十二师营院，人去屋空，只有少数一些和母亲一样的女人留在家中。这样一个宁静的夜晚，使昔日的恋人有了一个美好的幽会氛围。这时，林已经睡着了，母亲和枫相对而坐，他们彼此望着对方的眼睛，说着昔日早已说过的情话。说着说着双方都动了感情，母亲再一次把自己的身体投入到枫的怀中，枫似被烫了似地哆嗦着。母亲在没有嫁给父亲之前，她对枫的爱情朦胧而又迷惘。在和父亲生活了一段时间后，她对男女之间的事情有了清醒而又深刻的认识。以前，她和枫只是相互拥抱而已，并没有实质性的接触。再一次和枫缠绵在一起，她的欲火被点燃了。在这寂静美好的夜晚，她的目地直接而又明确，那就是，她要把身体献给自己所爱的人，哪怕就一次，她也知足了。母亲一边亲吻着枫，一边脱掉了自己的衣服。她躺在床上，目光迷离地望着枫，喃喃道：枫，你来吧，今天我是你的了！

母亲没有料到的是，枫突然蹲下，双手抱住自己的头。他哭了，一边哭一边说：不哇，我怕，我不能呀！

母亲在等待着枫，她在等待着与自己所爱过的人相互占有，结果却等来了枫的哭声。母亲的身体冷却下来，心也冷了。她开始默默地穿衣服，穿好衣服后的母亲说：枫，你走吧！

枫已经停止了哭泣，慢慢站了起来，泪眼朦胧地望着母亲。枫可怜巴巴地说：那我就走了？母亲点点头，枫真的就走了。

从此，枫在母亲心中死了，活在母亲心中的只是梦中的枫，母亲仍一往情深地爱着梦中的枫。

父亲不知道这些。

不久，枫入朝了。在一次去前线演出时，被一颗流弹击中，枫便再也没有回来了。

其实母亲也很想随文工团入朝的。没结婚前她是文工团的台柱子，她年轻的梦想和激情已经和舞台连在了一起。当她面对台下的观众时，她喜欢那一双双真诚热烈的目光，还有那一阵又一阵经久不息的掌声。这一切构筑了她青春的梦想。

母亲盼着林长大一点，再长大一点，那时她就可以把林寄养在父母家里，然后她就可以一身轻松地入朝去寻找属于她的舞台了。是父亲没能使母亲的梦想成真，在这期间，父亲回国休整了一段时间。在这一段时间里，母亲再一次怀孕了。不久，晶出世了。晶是个女孩，但她的哭声一点也不亚于林。晶呱呱落地时，父亲在朝鲜正艰苦卓绝地打着第四战役，他没能听见晶的哭声。

在这期间，父亲的职务也有所变动，他由师长，晋升为军长。他的部队在三八线附近和美国鬼子展开了一场旷日持久的拉锯战。

母亲在晶出生之后，她入朝的梦想终于破灭了。她用年轻的生命，抚育着林和晶。那时林已经会走了，晶还在吃奶，母亲年轻的生命，在哺育孩子的过程中，一点点地消损着。母亲的父母在这段时间里，也忠实地成了母亲的帮手，他们差不多每天都要过来，帮助母亲照料林和晶。随着林和晶一天天的长大，母亲因爱情夭折而失落的心，又重新找到了寄托。她可以不爱父亲，但她不能不爱自己的孩子，况且林和晶在她的眼里是那么的可爱，招人欢喜招人疼。母亲原本愁眉不展的额头，终于舒展了。

　　朝鲜战争进入到第五次战役之后，双方便僵持住了。又过了不久，双方签定了停战协议，战争结束了。这件事，父亲一直耿耿于怀，他是个主战派，但他又不能不服从毛主席的指示，最后他还是班师回到了国内。在那些日子里，他逢人就说：妈啦个巴子，仗要是再打下去，老子两个月肯定把美国鬼子赶回老家！

　　父亲回国不久，他的职务再次荣升。胡麻子参谋长当上了副司令，在胡麻子的力荐下，父亲接替了他的职务。

　　随着朝鲜战争的结束，全国人民的所有精力都转移到大建社会主义上来了，部队也随之稳定下来。在这样的大背景下，父亲的小家也安稳了起来。

　　在晶蹒跚学步时，母亲又生下海。海是个男孩，海出生时的哭声一点也不响亮，等在产房外的父亲听到海有气无力的哭声时说：操，这小子一点也不像我！

　　母亲一口气生了林、晶、海三个孩子，家里一下子就热闹了起来。那一年母亲二十六岁。二十六岁的母亲只能一心一意地照顾三个孩子了。

　　父亲当上参谋长之后，有许多事情需要他忙。现在虽说不打仗了，但身为军区参谋长的父亲却每天都在为打仗做着准备。他和下属们商量作战计划，一遍又一遍地琢磨着假想的敌人，跟真事似的在沙盘和地图上圈圈点点。总之，父亲满脑子都是战争。

　　回到家以后，他仍不能从虚幻的战争中走出来。这时林、晶、海不停息地哭闹，从这个房间跑到另外一个房间，他们发动一场战争似的，把家里的一切都搞得天翻地覆。母亲天天守着孩子，对这一切都已经习惯了，况且她也照顾不过来。她有许多事要做，洗洗涮涮，缝缝补补，还要一日三餐，为孩子为父亲做饭。父亲对这一切是不习惯的，林和晶出生时，他正在朝鲜打仗，孩子的哭闹离他很遥远，可现在不行了，他只能面对这些哭闹的场面了。一会林把晶推倒了，晶就扯开喉咙没命地哭闹，等晶不哭了，海和林又一起哭了起来，原因是林打了海的屁股，晶又把林的耳朵咬了，一时间鸡犬不宁。父亲生气了，他站起来，来到三个孩子面前，大吼一声：都给我住嘴！再哭，老子把你们统统都毙了！父亲真的拿出了自己的枪，枪洞乌黑地冲着三个孩子。果然，他们不敢再哭了，他们迷惘、惶惑地望着父亲及黑黑的枪口。

父亲的敲山震虎，果然换来了片刻的安宁。待父亲离开他们，只一会儿工夫又和从前一样了。这时父亲真的被激怒了，他不分青红皂白地每人都打了屁股。刚开始，他们在挨打之后，哭得愈发响亮了，他们越哭父亲打得越起劲。父亲是真打，而不是恫吓，有几次打得他们的小屁股都无法坐下了。后来，他们真的害怕了，在父亲叱喝一声之后，他们果然大气也不敢出了。

父亲打孩子时，起初母亲在冷眼观看。这几年中，母亲仍很少和父亲说话。母亲用无言抗拒着父亲，父亲不在乎这些，他有老婆了，有孩子了，他就啥也不怕了。父亲狠命打孩子时，母亲心疼了。这些孩子都是她身上掉下的肉，平时，她舍不得动他们一根指头。她会出现在孩子和父亲中间，指着父亲的鼻子说：你算什么父亲，你给哪个孩子擦过一回屎把过一回尿？你没权利打孩子！母亲说得千真万确，这三个孩子他的确没有尽过心。但父亲毕竟是父亲，他冲母亲嚷：你懂个屁，棍棒出孝子，不打不成才！再不打，他们都反了！

母亲仍然不躲，冷着脸看着父亲。母亲站出来为三个孩子撑腰，三个孩子就理直气壮呜哩哇啦地又乱叫起来。父亲眼见着自己的计划要前功尽弃，也急了，他冲母亲吼：你给我滚开！孩子是我的，打死了我愿意，你管不着！惹急了，老子连你一块揍！说完把母亲搡到一旁，他不管三七二十一揪住一个就打。

母亲有理说不清，躲在一旁痛哭流涕，她暗自想：这都是命啊！怎么嫁给了这么一个粗暴野蛮的家伙？！

三个孩子终于在父亲的淫威下屈服了。在以后的日子里，他们只要一听见父亲回家时的脚步声，不管他们玩得有多开心，马上扔掉手里的玩具，龟缩在一个房间里，大气都不敢出。他们之间的交流，也换成了挤眉弄眼，还有一些意义不明的手势。

在父亲又一次离开家门后，三个孩子集体找到母亲说：妈妈，以后不要让这个人回来了！自从父亲残暴地打过他们之后，他们便不再称父亲爸爸了，而是改成了

"这个人"。

母亲叹口气说：他是你们的爸爸呀！

三个孩子异口同声地说：我们不要爸爸！

父亲对孩子虽然残暴得不尽情理，但对母亲的父母，也就是他的岳父岳母却孝顺异常。父亲很小就失去了父母，他没有尝到父爱和母爱。于是，他把对父母所有的感情都集中在了对岳父岳母的厚爱上。

每到星期日，他会派出自己的司机（那时父亲已有了一辆华沙牌轿车了），去接岳父岳母来到自己家中。同时让炊事班长过来掌勺，做一顿可口的饭菜。那时，虽说不上富裕，但身为军区参谋长的父亲，养活一家老小还是绰绰有余的。每个星期日，是一家人最和美最幸福的时光。饭桌上，年迈的岳父岳母仍不时地夸奖着父亲，夸父亲的战功卓著和前程似锦，同时也夸母亲的眼力和眼前这美好的生活。岳父岳母说这些时，母亲一声不吭，她不停地为父母夹菜，劝吃劝喝，就是不搭理父母的话茬。

父亲此时的心里洋溢着无比的温暖和幸福，就是三个孩子放肆一些，他在这时也不去管教的，任他们放肆和疯狂。父亲对眼前的生活无疑是满意的，他把这一切都记在了岳父岳母的帐上。要是没有当初岳父岳母对自己婚姻的支持，哪里会有他美好的今天？父亲的心里，真心实意地感激着岳父岳母。

　　时间过得很快，一转眼，林开始上学了，晶和海也分别上了幼儿园的大班中班。母亲在孩子身上终于熬出了头，她又重新回到了文工团，但她再也无法唱歌跳舞了。文工团经过朝鲜战争的洗礼以及和平年代的成长壮大，演员的队伍有了质的飞跃。况且由于母亲连续地生养孩子，她的身体比起以前有了显著的变化，清脆甜美的嗓子也大不如从前。母亲重新回到文工团以后，她只能管一管服装和道具了，在遇到有大型演出需要大合唱的场合，她才会再一次走到前台，站在合唱的人群中，充一回数。母亲过早地结束了艺术生涯，她把怨和恨都记在了父亲的帐上，是父亲让她失去了这一切。那时母亲仍然很年轻，刚刚二十九岁，母亲仍然有许多理想和对生活的追求。

　　父亲仍然很忙，他除了激动地研究那些假想敌外，工作上他还要有许多应酬，父亲回家吃饭的次数便明显地减少了。父亲每次回来，都是一嘴的酒气。父亲是有酒量的，在外面应酬喝这点小酒不在话下。父亲回来时，母亲早就安顿好了三个孩子上床睡觉，她躺在床上，借着台灯的光亮正在研读《红楼梦》。母亲早已被《红楼梦》的氛围感染得一塌糊涂，她正在为宝玉和黛玉的爱情伤心不已。在母亲这样一种心情下，父亲满嘴酒气地回来了。回来后的父亲，坐在床沿，很有内容地望了眼母亲。这时，他仍然不急于上床，他要让这个美好的过程延长，他要吸支烟。父亲吸的不是纸烟，而是喇叭筒。父亲吸不惯纸烟，他吸自己卷的喇叭筒才过瘾。父亲的喇叭筒冲劲十足，很快房间时里便乌烟瘴气了。这是母亲无法忍受的，不管是冬夏，也不管是什么时间，母亲无论如何都要爬起来，乒乒乓乓地把门窗打开。父亲不理解母亲这一系列举动，他仍满眼内容地瞅着母亲。虽然母亲一口气为他生了三个孩子，体态已有所改变，但母亲的形象在父亲的心中仍是完美的。父亲终于吸完了他的喇叭筒，这时他站起身开始宽衣解带了。父亲一边动作，一边满怀内容地微笑，父亲迫不急待地钻进了母亲的被窝。母亲是要反抗的，父亲这时就可怜巴巴地央求母亲道：丫头，整一把吧，我都两天没整了！母亲道。你这头猪，滚一边去！父亲这才想起，自己还没有洗脚、刷牙。随着生活的稳定，母亲对父亲的要求也苛刻起来，父亲不洗脚不刷牙是无法和母亲亲近的。但父亲无论如何也养不成洗脚、刷牙的习惯，这是父亲的前半生养成的无法改变的劣习。在战争岁月中，别说洗脚刷牙，就是脸也有一连十几天不洗的记录。行军、打仗哪有那么多讲究。

　　父亲在万般无奈的情况下，只好不情愿地爬起来，把脚伸到水笼头下冲一冲，拿着牙缸胡乱地漱一漱口，然后火烧火燎地跑回来，关掉台灯，死乞白赖地往母亲身旁凑。母亲无法抗拒父亲的要求，忙乱一阵之后，父亲倒头就睡，并不时地伴以响亮的鼾声。父亲睡觉的毛病很多，不仅打鼾，而且还伴以咬牙放屁吧唧嘴。

　　母亲无法入睡，她在这臭气熏天、鼾声嘹亮的环境中怎么能睡着呢？她隐忍着父亲的恶行，一遍又一遍地想象着《红楼梦》里的情景，落红、残雪、吟诗对赋，那才叫生活。母亲对《红楼梦》里讲述的生活一往情深，男男女女极有情致的爱情生活，真是太美妙了。然而，现实又使母亲的幻想变得支离破碎了。她怎么能不痛苦不失眠呢？

　　由身边的父亲，她又想到了枫，梦想中的枫。要是和枫结合在一起，眼前的日子会是这样一番景象么？不，决不会！母亲毫不犹豫地断定，枫决不会像父亲这个样子。枫是多么缠绵和有情致的人啊！她和他躺在床上，会一起读《红楼梦》，谈枫创作的歌曲。枫的脚自然是认真洗过的，牙也是刷过的，他的嘴里会飘出一阵又一阵中华牙膏的气味。他们在床上、台灯下说说笑笑，相亲相爱，那将是一番什么样的景象呀！母亲在无法入眠的夜晚再一次想起了她梦中的枫。对母亲来说，无法得到的，才是最美好的。

　　母亲还无法忍受父亲的吃相。父亲每次吃饭，食欲都极好。吃饭时，父亲异常地专注，大碗盛饭，大块吃肉自不必说。父亲吃饭时，总是要节奏有力地吧唧嘴，父亲吧唧嘴的声音一点也不亚于快板打起来的声音。父亲在吞咽食物时，也总是咕噜有声，喉头上下那么一滑动，一口食物就咽下去了。每次吃饭时，母亲总不忍心看父亲这种饿死鬼的样子，她每次都在碗里挟一些菜，躲到别处去吃饭。父亲一直没弄明白,母亲在吃饭时为什么总是躲着他。有几次,孩子们也想躲开他,他及时发现了,用仍在咀嚼食物的嘴大喝一声:站住!

孩子们就站住了,他们也常常被父亲的吃相惊呆了,而忘记了自己吃饭,呆呆地望着父亲。父亲发现了,不明白发生了什么,叱一声:看啥看?你们的老子也不认识了?!孩子们马上埋下头,真真假假地吃,等父亲一离饭桌,他们终于忍不住,"哄"地一声笑了。他们交头接耳,小声地说:饿死鬼,饿死鬼!

孩子们的话是母亲冲他们说的,母亲说,瞧你们的爸爸,那饿死鬼的样!孩子们记住了,他们小声说"饿死鬼"时,心里面充满了快感。

许多年之后,大起来的孩子们,斥责父亲的吃相时,父亲听了,久久没有言语,他的神情有些黯然。许久父亲才说:你们没挨过饿,知道个屁!父亲说到这,便再也不说话了。他的目光,透过窗子望着极远处的天边。这时,他又回想起了吃百家饭时的童年,那是怎样的一段岁月呀!在这家吃了上顿,还不知何时在另外一家吃到下顿呢。父亲一想起童年,心酸无比。

三个孩子中,父亲最喜欢的还要数晶。晶虽说是女孩子,但胆子比林和海都大。星期天,没有什么大事,他总要带上三个孩子去打靶。他一个星期不听枪声,浑身上下就不舒服。每次打靶,林和海都躲得远远的,还用双手捂住耳朵。唯有晶不捂耳朵,她随在父亲身后,睁圆了眼睛，看着父亲手里的枪，一张小脸激动得通红。父亲先是让林来打，林不敢。在父亲的强迫下，他双手握住了枪，闭着眼睛，扣动了扳机。随着枪响，他把枪扔了转身就胞。父亲大骂：没用的东西！

海更是胆小如鼠，他还没摸到枪，就尿了裤子，气得父亲一脚把他踢出老远。轮到晶时，她不慌不忙，拿起来就射，她一边射击一边呀呀地喊着什么。

以后，父亲再去打靶，便只带晶一个人了。晶的枪法在父亲的调教下，差不多每次都能射在靶子上。父亲对林和海失望的同时，对晶燃起了希望之火。

一转眼，父亲就五十岁了。

五十岁的父亲想起了老家靠山屯。在这之前，父亲曾无数次地想起过老家，但只是匆匆而过的一个念想而已。五十岁的父亲心情却不一样了，靠山屯一旦从他的脑海里冒出来，便再也挥之不去了。

于是父亲决定回一趟老家。父亲回老家时，是坐着自己的专车走的，父亲原来那辆华沙牌轿车，已经换成了上海牌。父亲带着警卫员还有秘书便匆匆上路了。父亲先到了家乡所在地的省军区，省军区早就接到了父亲要来的通知。他们热烈地接待了父亲，并一再要求父亲要有所指示。父亲心不在焉地在省军区的院里走了走看了看，胡乱地指示了两条，便归心似箭了。以前，父亲回老家的心情从没有这么迫切过，马上就要到家门口了，父亲实在无法忍受思乡的煎熬了。当天父亲就奔靠山屯而去。省军区为了使父亲高兴，同时也为了使父亲这次返乡之旅愉快，他们做了周密的安排。除派出一个警卫排外，另外又派出了两辆卡车，车上装满了大米，还有猪肉粉条子。省军区的领导也亲自陪同，于是，一个车队，浩浩荡荡地开到了靠山屯。

靠山屯的父老乡亲做梦也没想到，当年的小石头还活着，他们以为，父亲早就被冻死在了深山老林里。因为当年，那些抗联战士，没有几个活着走出深山的，他们不是被日本人打死就是冻死饿死在山沟里了。父亲却奇迹般地回来了，而且还这么大的排场。全屯老少都拥出家门，一睹父亲的风采。当年的老人大都不在了，父亲的同龄人大都健在，他们站在父亲的面前不敢认了，父亲也认不出他们了。于是，他们相互启发着回忆着，终于想起来了。然后他们的手握在一起，眼泪横流，父亲又一次想起当年掏鸟蛋、骑牛背的种种细节，唏嘘不止。

在父亲的眼里，靠山屯还是靠山屯，只不过现在的靠山屯人丁更加兴旺了。此时的靠山屯比过年还热闹，孩娃们呼爹喊娘地走出家门，围在父亲的身旁看车队，看亲人解放军。

父亲为了酬谢靠山屯的父老乡亲，他命人在屯中心搭了两个大灶，闷了一锅又一锅白米饭，烧了一锅又一锅猪肉炖粉条。父亲少年的梦想就是有朝一日能吃上猪肉炖粉条。这不仅是他的梦想，也是靠山屯人的梦想，父亲今天要向人们还这个愿了。

父亲的壮举一连持续了三天。这三天中，不仅惊动了公社领导，就连县里的领导也都来了，他们都想亲眼见识一下从家乡走出的大人物。他们一律称父亲为首长，一时间，小小的靠山屯热闹异常。

三天以后，父亲恋恋不舍地告别了他的父老乡亲，告别了他的家乡靠山屯，又回到了沈阳城。在这几天中，父亲的心情波澜难平。他一家家坐过了，每到一家，他都会想起一串童年的往事。李家曾给过他一个饼子，张家曾送过他一碗高粱米饭……这一切的一切，使父亲既伤心又亲切。回到家中许多天，父亲仍然处在亢奋中。

父亲回老家不久，乡亲们便带着老家的特产成群结队地回访父亲了。他们没想到父亲会当这么大的官，在他们的眼里，军区的参谋长和军委主席已经没有多大的区别了。乡亲们的心是热的，情是真的。

乡亲们坐满了家里的大小房间，他们一边和父亲抽着家乡烟，一边谈天说地，叙说着靠山屯这些年的变化，以及询问着部队及城里的大小事情。此时的父亲是高兴的，他盘着腿坐在屋子中央，乡亲们也这么坐了，他们坐不惯城里人的沙发和桌椅、板凳，他们盘腿坐在地上，就像坐在自家炕头上那么从容不迫，顺理成章。一时间家里乌烟瘴气，臭气熏天。

　　母亲早就无法忍受这一切了，白天的时候，她还能躲到单位里眼不见心不烦，可下班之后，她没处躲藏，只能回到家中。平时，父亲一个人她都无法忍受，一下子来了这么多人，把她都快逼疯了。家里每个房间里都混乱一团，她更无法忍受的是乡人们的粗鄙。他们见到母亲那一刻，乡人们都惊呆了，他们万万没有想到的是，母亲会这么年轻，又这么漂亮。他们亲切地称母亲为嫂子，虽然，母亲比他们还要小。在父亲的家乡，凡是被称为嫂子的女人，是可以打闹取乐的。虽然他们在母亲面前不能放肆，但他们对母亲却真诚地热情着，他们掏出大把大把的核桃往母亲手里塞，有人卷好一根纸烟让母亲吸，父亲家乡的女人是有吸烟这一习惯的，他们以为母亲也会吸烟。母亲终于无法忍受了，她躲到厕所里，此时家中唯有厕所是最后一片净土了。因为乡亲们用不惯抽水马桶，每天有乡亲们上厕所时，父亲都让公务员小李子引领着他们去院内的公共厕所。母亲躲在厕所里，她第一次感受到，厕所里是这么安静，这么洁静，香皂散发出淡淡的幽香笼罩着母亲，笼罩着厕所。母亲的眼泪也随之流了出来。

　　父亲叫来了炊事班长，让炊事班长做了一大锅猪肉炖粉条，然后父亲就陪着这些童年的伙伴，大碗地喝酒了。父亲一边大口地喝酒一边大声地让酒让菜，父亲说：二哥，整酒！父亲还说：三弟，整酒！

　　于是，众人就整，整来整去就都整高了，乡亲们说话也不那么规矩了，每句话都带着操操的了。操来操去的，就想起了母亲，他们大呼小叫地向父亲提议，让母亲来敬酒。父亲这时也有些喝高了，他大着嗓门喊母亲：丫头，来来来，敬酒，敬酒哇！

母亲听到了，她不动，父亲喊了一气见母亲没动静，然后起来敲厕所的门，一边敲一边喊：敬酒，敬酒！这些都是我光腚眼的朋友。母亲不能不出来了，她出现在乡亲们面前，这时已有人为母亲倒上了酒，然后碰杯，然后干杯。母亲不喝，她从来没喝过酒。别说让她喝酒，眼前狼藉的场面早就让她作呕了。趁着酒劲的乡亲们，七手八脚地把一碗酒倒在母亲的嘴里，母亲一头撞开厕所的门，她翻江倒海地呕吐起来。

父亲还在说，大哥整酒！小弟整肉！

从那以后，只要农闲时节，乡亲们总要前呼后拥地来到家里。他们来看望父亲，顺便走一走，到靠山屯外的世界开开眼。每次来人，都是父亲车接车送的，他们平生还是第一次坐上轿车，仅凭这一点，就够他们在家乡人面前说上半年的了。

母亲再也无法忍受了，她警告父亲说：不要再让那些人来了，要是再来，我就和你离婚！"离婚"这个词对父亲来说又新鲜又陌生，他以为母亲只是说说而已。在又一次老家来人时，母亲真的搬到文工团去住了。后来乡亲们走后，父亲亲自跑到文工团好说歹说，母亲才回来。

以后，再有乡亲们来找，父亲就不往家领了，而是把他们安排在招待所里。在那几年中，只要在军区大院里看到手提蘑菇、肩扛核桃，在招待所食堂里大碗喝酒大块整肉的乡下人，十有八九是父亲的家乡人。

乡亲们来过一阵之后，便明显的稀疏下去了。相反的，老家再来人，就换成了公社和县一级的干部。他们不再单纯地来看父亲，而是有求于父亲。在计划经济下，什么都紧张，例如，农机、化肥、种子、布匹……都是农村基层紧缺的，他们来求父亲，想购买这些紧俏商品。父亲对家乡是有求必应，父亲虽身在部队，不管地方上的事，但父亲有许多老战友、老下级，不少人都已转业到了地方，在各条战线上战斗着。这些对父亲来说并不是什么大事，只一个电话一张条子，家乡人无法解决的问题，在父亲这里都迎刃而解了。这些东西到手后，父亲并没有完成任务，他还要想办法帮助乡亲们把这些东西运回去，有时父亲要到铁路局为他们申请车皮，铁路紧张的时候，父亲就直接命令部队的军车为他们送回老家。

那些年，父亲为老家办了许多大事。

父亲在陪县委书记喝酒时说：老家以后有求我老石的就说，没有老家那些乡亲，我老石早就饿死了。我老石死后也要埋在家乡。父亲说的是实话，他万没有想到的是，正是他的实话，给他埋下了一个祸根。后来父亲犯错误了，正是他这一席话引起的。

　　父亲十三岁来到了部队。从他参军那天起，便把自己的一生交给了部队。几十年的戎马生涯，父亲的生命已完全和部队这个大家庭融在了一起。父亲认为军人这个职业，是世界上最光荣的职业。

　　父亲这一看法，体现在他对三个孩子的安排上。林首先高中毕业，他毫不犹豫地把林送到了部队。父亲对待子女体现出了他的大公无私，他没有把林留在身边，而是送到了边远的哨卡，那里是冰天雪国。父亲的人生观是：温室里的花草成不了什么气候，只有在大风大浪里才能百炼成钢。他十三岁参加抗联，这么多年不就是这么摸爬滚打过来的么？

　　一年以后，林就无法适应边防哨卡单调艰苦的生活了。于是他一次次言辞委婉地给父亲写信，希望父亲看在他们父子的情面上，拉他一把，把他调到条件稍好一点的环境下为祖国守好北大门。父亲接到林的信并不为所动，他一根火柴把林的求救都化为了灰烬。

　　林对父亲失望了，他又求助于母亲。母亲早就对父亲的做法存有异议，当初让林去边防哨卡，母亲就曾和父亲争论过，最后还是父亲大手一挥道：孩子是我的，就这么定了。父亲一直把三个孩子看成是自己的，甚至连母亲都没有份。在感情上，他把三个孩子已经占为己有了。

　　母亲毕竟是母亲，母亲无法忍受林的受苦受难，她通过熟人的关系，为林开好了调令，那时母亲已经是文工团的团长了，母亲还是有一些号召力的。这件事被父亲发现了，他生气了，当即打电话撤消了林的调令，使母亲和林的希望落空了。

这件事之后，林曾给父亲来过一封信，林在信中说：我没你这个父亲，你也没我这个儿子！父亲接到信后，好长一段时间情绪都不稳定，在家里他无端地大骂晶和海。晶和海都在读高中，已经算是个大人了。他们无端地受到了父亲的辱骂，只能向母亲哭诉。母亲就说：忍一忍吧，等你们毕业了就离开这个家！等你们走了，我也离开他，让他自己冲自己骂去！

林从那以后，再也没有给父亲来过信，这是父亲无法理解的。1979年，南线那场战事，身为营长的林也参加了那场局部战争。结果林再也没有回来，他永远地留在了南方的丛林里。在林的遗物中有一封写给父亲的信，后来那封信辗转地送到了父亲的手里。林在信中说：爸爸，你见到这封信时，我已经牺牲了。以前我恨你，但现在不恨了，因为你是我的父亲……

父亲读着林的信，老泪纵横，他小心地把这封信珍藏起来。隔一段时间，他就要拿出来看一看，每次看林的信，他都泪眼模糊。

三个孩子中，晶的性格最像父亲。她从小就天不怕地不怕的，而且脾气暴躁。父亲不在场时，她生起气来，会摔东西会骂人。气得母亲就骂她：看你那德性，跟你父亲一样！所以父亲异常喜欢晶。

在晶高中毕业以后，关于晶未来的前程，父亲征求了晶的意见，晶不加思索地说：我要当骑兵！谁也说不清晶为什么会有这样的想法。在她的意识里，骑马驰骋，也许是最高的人生境界吧。

她的这一想法，却使父亲为难了。军区不是没有骑兵，而是骑兵部队中没有女兵。但这事难不住父亲，晶还是很快地被送到了内蒙古草原上一支骑兵部队中。

于是从那以后，骑兵部队里多了一个晶，多了一名惟一的女骑兵。当时，在部队里成了新闻。

晶从不像林那样叫苦叫累，她在给父母的每封来信中都是满足幸福的。她在一封信中还提到，她要征服那匹脾气暴烈叫黑子的马，那匹马已经摔残了两名骑手了。

一天夜里，晶偷偷地把那匹黑马牵了出去，结果，不幸就发生了。晶从马背上重重地摔了下来，小腿骨折了。为这，晶住了一个多月的医院。这一切，父亲并不知道，她自己没有告诉父亲，同时也不让她的领导告诉父亲。她在住院的三十多天里因行动不便而吃尽了苦头，因此，她恨死了那匹黑马。她出院以后，当她再次接近那匹黑马时，它似乎对她有了深仇大恨，冲她呲牙咧嘴，并不时地伴以蹦跳啸叫。这下就惹急了晶，在又一个夜里，晶气愤地用刺刀把黑马捅残了，从此黑马从军马的序列里消失了。

晶受到了记过处分。她不服，为这事还和领导大吵大闹了一通。她摔碎了团长的杯子，同时也把团长家窗子上的玻璃砸了。晶在骑兵部队里，像那匹黑马一样难以驯服。后来，这样的事又发生了几起，骑兵部队没有办法，在征求了父亲的意见后，把晶送了回来。就此，晶结束了她短暂的骑兵生涯。

退伍回来的晶，又一次向父亲提出了要求：骑兵当不成了，她要去开火车，当一名火车女司机。不知道为什么，父亲对晶的要求会百依百顺，他真的成全了晶的梦想。那时，父亲以前的警卫员小伍子正在铁路上当着一名不大不小的领导。晶很快成了铁路局中惟一的一名女火车司机。这件事，又一次成了新闻。晶驾驶着火车，飞驰在祖国的大江南北，那份感受一点也不亚于在草原上骑马奔驰。晶对自己能成为一名火车司机感到心满意足。

不知为什么，晶都二十八九了，还没有找到男朋友。这可急坏了母亲，她开始求熟人托朋友广泛地为晶张罗对象。不是男方看不上晶，就是晶看不上男方。最后终于在公安局为晶找到了一位民警，两人结婚还不到一年，又离婚了，原因是，两人刚结婚就吵架。有一次，晶把民警的枪缴获过来，还把民警绑在了床上，然后就拿着民警的枪把玩，还扬言要把这支枪带到火车上去，说这枪戴在民警的身上简直就是个装饰……民警无论如何没法和晶再生活下去了，于是提出了离婚。离就离，谁怕谁呀！晶干净利落地办完了离婚手续，完事之后，她又潇洒地开上火车，大江南北地飞奔了。从那以后，晶再也没有提结婚的事，一直到现在，她仍一人快乐地生活着。

海是最令父亲头疼的一个孩子，他生性怯懦，多愁善感，为一片落叶，一点残红也会伤心不已。他时常泪水涟涟，抑郁寡欢。海喜欢读书，经常可以看见海躲在自己的房间里，读一些中外爱情故事。他时常一边读书一边抹眼泪。气得父亲不止一次地骂他：没出息的货！就连母亲为海这种样子，也不停地叹气。她知道海的性格很像自己，如果海是个女孩也没什么不好，可他偏偏是个男人。母亲明白这其中的道理。因此，母亲为海的性格长吁短叹。

海高中毕业，当父亲提出要送海去当一名海军时，母亲没有提出异议，她也以为把海送出去锻炼锻炼对改变海的性格会有好处。父亲认为让海去当海军，那才是真正意义上的到大风大浪里去磨练。于是，海别无选择地当上了一名海军。海当的是潜艇兵，训练时潜艇在海底一呆就是一个月，有时甚至几个月。真正的是海底世界。一艘艇上干部战士也就是十几个人，在狭窄的空间里大部分时间是在洞穴一样的空间里生存，别说是海，就是有二十几年兵龄的潜艇长也吃不消。海又生性孤独，无法排遣。于是，不满一年，海的精神就出现了问

题。后来，海被送到了精神病医院。从那以后，只要有
人当着海的面一提起海军和大海，海便会浑身发抖目光
呆滞。从此以后，家里没人再说有关海军的事了。海出
院以后，被母亲调到了自己的身边，在文工团里当上了
一名文艺兵。

父亲对不争气的海也死了心了，他不相信海以后还
会有什么出息。他曾对母亲说：就当我没这个儿子吧！
他对母亲如何安置海也听之任之了。

海来到文工团以后，却如鱼得水。他先是写歌词，
后来就学会了作曲。时间到了 80 年代，海创作的爱情
歌曲曾风靡全国，倾倒了许许多多的少男少女。一时间
海红了起来，报纸上，电视里都称海是天才作曲家。于
是，海频频地在电视上抛头露面。向海求爱的年轻漂亮
女孩子多得不计其数，认识的不认识的，海每天都能收
到几封求爱信，可海却一个也没看上。一晃，海都三十
岁了，海仍没找到合适的女朋友。

后来母亲急迫地问海：你到底想找个啥样的？

海的回答让母亲吃惊，海说：我要找像姐那样的女
朋友！海这么说，不能不让母亲吃惊。母亲曾挖心掏肺
地开导海：你姐晶那样的女孩有什么好？没心没肺的，
还不会过日子。

海这回坚定地说：找不到晶那样的女孩，我就不找
了！

父亲叹气，母亲也摇头。他们又想起海是得过病

的，对一个得过精神病的人，他们还能说什么呢？

晶隔三差五的总要在家住上一阵子，然后又出车了。晶每次回来，都是海最愉快的日子，他总要找理由呆在晶的房间里，和姐说说笑笑。晶一走，海就没了笑声，他把晶用过的东西，老鼠搬家似地运到自己的房间里，然后关上房门创作他的爱情歌曲。

父亲在五十六岁那一年，一纸命令被宣布提前离休了。像父亲这一级别的军人，正常情况下是可以干到六十岁的，并且还有荣升的可能。但父亲却在军区参谋长的职位上提前离休了。

父亲被宣布提前离休，有两件大事和他有关系，也就是说这两件事构成了父亲一生中最大的错误。一件是，他把部队装备的军车卖给了老家的县里。父亲卖军车不是一辆二辆，而是一批！在这之前，老家的县里领导几次三番地找到父亲，让父亲帮助买一些能够运输的卡车。父亲的老家很偏僻，一直没有能够通上火车，交通的任务，只能由汽车来完成。由于交通的不发达，直接影响了父亲老家所在县的经济发展。这是件大事，父亲也在为老家的落后贫穷而着急。当时的经济情形是，一切都在计划经济下运作，一汽生产的解放牌汽车由国家统一分配，别说父亲老家所在的县，就是省里一年也得不到几辆这样的汽车。

老家的人为交通着急，父亲更急，终于有了机会，军委为父亲所在的部队配备了一批军车，文件落在了父亲手里，父亲眼睛一亮，他想都没想，便大笔一挥，在文件上批示这批军车支援给了地方。地方当然就是父亲老家所在的县。在老家县内的每条公路上，都可以看到染着草绿色的军车，在忙碌地奔驰。

父亲没想到的是，这会是件错误。他了解部队的装备，此时部队的装备比几十年前有了翻天覆地的变化，这令父亲感到很满意。他盼望着新的一轮战争打响，可他等了十几年也不见有什么战争，于是父亲失望了。没有战争的部队，要那么好的装备干什么？简直是浪费！还不如让这批装备去支援地方建设。父亲理由充分地把这批军车卖给了老家。

一波未平，一波又起。父亲老家所在的县，为了感谢父亲多年来的厚爱和关怀，选了一块风水宝地，为父亲建了一座宽大豪华的墓地。父亲对这块墓地却一无所知，这是县里领导背着父亲做的。原因是，父亲曾不止一次地说过，将来死后要安葬在老家，而不去什么火葬场。这又是父亲思想的一种局限。那块墓地一切都准备就绪，就等着父亲"叶落归根"了。按照县领导的想法这也没啥，家乡出了一位将军，这是几百年没遇到的大事。将军死后回到家乡，这也是人之常情。况且，将军又为家乡谋了那么多的好处，为将军修块墓地又算得了啥？

纸里包不住火，两件事加起来，事情就闹大了。先是军区领导知道了，军区领导觉得这件事情非同一般，又上报了军委。军委在派出工作组调查了两件事之后，在铁证如山的情况下，一个命令将父亲召到了北京，由总部领导亲自找父亲谈了话。在事实面前，父亲哑口无言。但父亲不明白的是，这怎么能算是错误?! 在父亲从北京回来不久，便被宣布离休了。

离休后的父亲一下子就苍老了。他闲在家里一时竟无所事事，他不知该干些什么才好，更年期综合症降临到父亲身上，他开始不停地发脾气，冲母亲，冲孩子。

那时，林和晶都已参军，家里只剩下了海一人在读书。那一年，母亲四十刚出头，她正春风得意地当着文工团的团长。孩子们都大了，家里也没有什么需要她操心的了，她就满怀热情地把自己的生命投入到事业之中，她要把年轻时耽误的时光补回来。

父亲在家里经常一个人发脾气，他先是摔碎了自己正喝水的杯子，然后又揪扯自己过早花白了的头发，他的火气因没有对象而不得不偃旗息鼓。然后他就从这个房间流窜到那一个房间，嘴里不停地骂骂咧咧，并一遍遍地说：等你们回来，看老子不收拾你们! 他看什么都不顺眼了，包括母亲收拾好的房间。结果是，他谁也收拾不动了，他真的老了，他的心老了。

剩下的是，他只能不停地抽他的喇叭筒烟，喝高粱烧酒。他的酒量也大不如以前了，他看着酒，力不从心了，喝了几口酒就醉了的父亲，流下了英雄泪。然后，天还不黑，他倒头就睡，屁照放，牙照咬，脚不洗，牙不刷。母亲对父亲这一切，已经受够了，她无法再忍受了，于是，母亲提出了和父亲分居的想法。令母亲大感意外的是，她这一想法，得到了父亲热烈的响应。其实，他也早就受够了母亲的管束，这么多年他也被管够了，他要翻身求解放，他要畅快地呼吸自由的空气。很快，父亲便和母亲正式分居了。那时，家里的房子多的是，随便找一间，父亲便逃离了母亲。

父亲在职时，最愉快的工作是站在沙盘前或者作战地图前，研究假想敌。他把假想敌已经研究得烂熟于心了，包括我军的部署，可一直没有派上用场。但这并没有影响他这一爱好。他想，现在用不上，迟早有一天会用上的。说不定到那时，军委领导会再次请他出山，让他指挥千军万马和真正的敌人大干一场。他一想起这些，便热血沸腾。

于是，父亲把所有的时间和精力，都用到制作沙盘和绘制作战地图上来了。他对沙盘和地图早已烂熟于心，做这些对父亲来说是轻车熟路。很快父亲的房间便被一个又一个沙盘和一张又一张作战地图占据了。父亲在拥挤中得到了安慰，父亲在他的假想中独自激动着。他长时间地沉浸在自己的亢奋中，只有吃饭的时候他才走出自己的房间。母亲对父亲所做的一切一直采取不闻不问的态度，这正合父亲的心意。那一阵子，父亲和母亲一直和睦相处。

后来，军区文工团精简整编，母亲也过早地退休了。母亲一时也闲在了家中。父亲和母亲同时闲在家中，大部分时间里，他们各自干着自己的事情。母亲仍然爱读书，母亲喜欢读的大都是一些古老的爱情故事，她仍常常为书中的爱情故事所感动，于是，她一次又一次地摘下老花眼镜去擦拭眼睛。不读书的时候，母亲就望着春夏秋冬的窗外发呆。她一次又一次想起了她梦想中的枫，这时母亲的内心感慨万分。她时常会看到窗外的路上，一对又一对老年夫妇相扶相携地在黄昏中走过，这时她多么希望枫在身旁，陪伴着她在黄昏中走一走哇。

在流逝的时光中，父亲不仅头发全白了，动作也开始变得迟缓了。他有许多事情需要求助于母亲了，他有求于母亲时，便喊：丫头，过来帮帮我呀！

母亲听到父亲的喊声，总要擦净自己的泪水才走过去，帮助父亲这样或那样。不管母亲的态度好或不好，父亲一点脾气也没有了。因为他知道，自己离不开母亲的帮助了。有一次，他有些害羞地提出要和母亲同住。他没料到的是，母亲同意了。这使父亲很高兴，从此老年的父亲，又在母亲的管教下开始生活了。母亲不许他再吸喇叭筒了，父亲同意了。母亲让他洗脚他就洗脚，让他刷牙他就刷牙。在没有母亲的监督下，父亲有时也会偷工减料，然后为他阴谋的得逞而嘿嘿傻笑。母亲见父亲这样，只能背过身叹气了。有时父亲看母亲不在自己的身边，就大呼小叫地喊：丫头，快来帮我呀！等母亲赶过来，父亲就嘿嘿笑着说：也没啥事。母亲望着父亲就长叹一口气。

晚年的父亲，不再和母亲有什么磨擦了，他变成了母亲一个听话的孩子，但父亲有事没事总爱喊：丫头，来帮我呀！母亲在他的身旁，他才感到踏实。

在父母晚年空寂的生活中，父亲不停地喊：丫头，快来帮我呀！

然后是母亲匆匆的脚步声。

....

父 母 离婚记

FU MU LI HUN JI

父母离婚记

父亲母亲那一年在延安认识并结了婚。

那一年，艰难的中国革命，在延安的宝塔山下出现了转机。有一批又一批向往革命、向往光明的青年学生，怀揣对革命的向往汇集到了宝塔山下。

那时，延安的天空在革命青年眼中是那么晴朗，汩汩流动的延河水是那么清澈。母亲就是在这种理想的感召下，热血沸腾地来到了延安，来到了中国革命的圣地。她抛弃了城市，告别了母亲，她要为理想献出自己的青春乃至生命，也是在这种热忱下与父亲结了婚。

父亲和母亲大相径庭，父亲在参加革命前不知道何谓革命。年老时的父亲，曾心情复杂地给自己做过总结。他说：当年我参加革命是瞎猫撞上了死老鼠。

我们都知道父亲这句话的含意。父亲是在饥寒交迫、走投无路的情况下，参加了红军的。那时父亲饿得眼冒金星，两眼发蓝，只要谁给他一口吃的，就是他的亲爹亲娘。结果那天他的眼前出现了红军队伍，他连想都没想便走进了革命队伍。如果那一天父亲的眼前经过一支别的什么队伍，他也是不是会想也不想地走过去？当然，结果或许是另外一个样子了。

父亲参加红军那一年，父亲家乡大旱，方圆百里颗粒无收，逃荒的人成群结队。在逃荒的队伍中，走着父亲一家老小。后来父亲就和一家人走散了。那时，父亲一连十几天没有吃到一顿像样的饭了，父亲觉得自己就快死了。结果就在那时，父亲看到了亲人红军。

随后父亲的历史便和中国革命史严丝合缝地重叠在一起。父亲的历史就是一部近代中国的革命史。

革命根据地井冈山第一次反围剿的时候，父亲就参加了。一次又一次围剿下来，父亲不仅大难不死，反而身体越来越茁壮了。在红军队伍中，虽然也经常吃了上顿没下顿，但和父亲以前逃荒的日子相比，简直是天上地下。父亲在一次又一次反围剿中，不仅长高了身体，还当上了一名连长。那时红军部队人员流动非常大，一个战役下来，马上就缩编，休整一些日子又扩编。打了几仗之后，父亲也算是老兵了。于是父亲就在缩缩扩扩中，当上了连长。

父亲一点也没把自己能当上连长当回事。因为那时，连长、营长什么的一点也不比那些士兵强。还操心，不管是打仗还是撤退，当官的一定要走到当兵的前面和后面。说是一个连，其实有时才十几个人，多的时候也不过有几十个。

打打藏藏，躲躲跑跑，父亲觉得也没什么，这种日子和玩一场游戏没有什么大的区别，怎么着也算能吃饱肚子。父亲那时的革命口号就是：打土豪分田地，让穷人吃饱肚子。

第五次反围剿失败以后，红军被迫开始长征北上。父亲才真正感受到，红军真是不好当，简直是太受罪了。

父亲在湘江打了一次他认为有生以来最难打的一次大仗，结果差点死在那里。他从死人堆里又奇迹般地钻了出来，分不清东南西北地往前赶。

年老的父亲曾说过长征时的感受。那是晚饭后，父亲一边剔牙一边说：你们以为当年我们愿意长征呀！不长征就没有活路，后面的国民党赶猪似的赶我们。稍慢一点就走不脱了。

父亲就是这样，被国民党逼着赶着，随着红军大部队跌跌撞撞，滚着爬着来到了陕北的延安。部队经过一段时间的休整后，轰轰烈烈地闹起了大生产。当时外界许多人都认为红军这次一准是完了，就是有点气候那也是十年以后的事了。谁也没想到的事发生了。父亲那一年当上了营长。当时他们那个连，只有父亲一个人走到了陕北。

父亲当上了营长之后，被送到陕北的军政大学进修。父亲就在那时认识了母亲，并和母亲结了婚。

能到陕北军政大学进修的军官，是有条件的。共产党从草创初期，一直到陕北，从无到有，一直到壮大，他们总结出了一点，那就是作为革命"种子"的重要性。于是，父亲便作为革命的种子，被送到了军政大学。

父亲在军政大学学习的内容是政治、军事和文化。政治、军事对父亲来说并不陌生，他从一到红军的队伍中就领教了，学习政治不用费什么脑子，带个耳朵听就是了。这时，父亲已经知道什么是革命了。他不仅了解了中国的革命，还知道革命从巴黎到苏联，又从苏联到中国的演变。至于军事，从游击战到堡垒对堡垒，又从突围到长征，也都领教过了，所以，闭着眼睛也能讲出几套来。文化课却难住了父亲。父亲从来也没有上过学，就是自己的名字，也是到了红军队伍中首长现给起的，叫石光荣。以前父亲只有小名，叫小石头。

文化课可难为了军政大学的教官们，他们手把手地教，父亲他们也掰扯不清那些横横竖竖的东西。一到文化课，他们就全体打磕睡，急得文化教官拿这些革命种子一点办法也没有。

这时，母亲那些从城市里来的小知识分子们一批批地来到了陕北，缺花少绿的陕北，一时间到处莺歌燕舞。有许多作家曾把红军驻扎陕北期间描绘得令人向往难忘，我想这大约和母亲这一批又一批来到解放区年轻貌美的知识女性，给陕北带来的变化是分不开的。俗语道：男女搭配，干活不累。红军能在陕北闹出那么大的动静，一定和像母亲这样的年轻知识女性分不开。

经过一段时间的酝酿，解放区的领导做出了一个非常英明的决定，那就是把大城市里来的知识女性都介绍给这些革命"种子"，种子找到了土地才能生根、开花、结果。否则，徒有种子也是白搭。也就是通过这次介绍，母亲被介绍给了父亲，母亲那时是父亲的课外文化辅导员。那时的母亲和所有投奔延安来的女青年一样，感受到了光荣与责任。她当时还没有意识到给父亲当文化教员是一个天大的误会。

父亲就是在那一刻认识了母亲，也是从那一刻，他对母亲埋下了逆反的种子。前面说过，让父亲这些人去打仗去舍身忘死，他们不会有二话，可让他们学习文化，比杀了他们还难受。他们对文化有着天生的排斥，这就注定了他和母亲一生的关系。

可刚开始，父亲看到母亲时，眼睛却是为之一亮，这是他有生以来见到过的最漂亮的女性。母亲这群人一出现，令父亲他们眼睛都不够用了，他们从眼睛到心里都写满了惊叹和新奇。可是好景不长，这种美好，几日之后，便在父亲的心目中烟消云散了。

那时，母亲在不折不扣地执行着上级交给她的任务，她要当好父亲的文化辅导员。她来陕北不是为了吃小米饭的，她要为革命做出贡献。从内心讲，她很乐意这样做。她早就对这些革命者，这些心目中的英雄充满了狂热的景仰，不然她也不会不顾一些同学亲友的劝说，而冲破国民党的重重封锁来到延安，来到这些抗日大英雄身旁。当上文化教员后，她便天天逼着父亲读书识字。刚开始，父亲觉得天天有母亲这么一位年轻貌美的女性督导着，还有些满足和高兴。几天之后，他觉得这是在受洋罪。那时，纸笔都奇缺，于是，只能手指当笔，地当纸了。母亲先教父亲写自己的名字，把父亲的名字写在黄土上，然后让父亲照着写。父亲挺认真地写了几遍，第二天，他再和母亲见面时，又忘得差不多了。母亲的脸上就露出朽木不可雕也的神情。为了惩罚父亲，母亲在军政大学的操场上画出了足有半块篮球场那么大的地方，她一定要让父亲在那块空地上写满自己的名字，否则不准吃饭不准睡觉。父亲被逼无奈，打着赤膊，双手拖着足有两米长的棍子，他在那里咬牙切齿地书写自己的名字。这时的母亲，在父亲的眼里一点也不美好了。他开始怨母亲了，他一边在写自己的名字，一边在心里咒母亲：妈的小妖精。他写一遍咒一遍，最后他就把自己的名字写得颠三倒四的了。字还是那三个字，次序却全乱了。母亲捂着嘴就笑。母亲笑起来的样子，是很好看的。此时在父亲的眼里一点也不美好，简直就是丑八怪。父亲已经写得一身是汗了，他见母亲笑就气不打一处来，他把当做笔的棍子扔得远远的，一屁股蹲在地上说：妈的，啥鸟名字，老子不写了。写这些东西又不当饭吃！

母亲就正色道：石光荣，不写可不行。这是政治任务，你完不成任务我就报告给校长。

那时军政大学的校长是朱德，是红军中人人都敬畏的人物。父亲知道，母亲这些人也是校长派来的，完不成作业不准吃饭不准睡觉也是校长提出来的。父亲无奈，又拾起棍，锄地似的又写起了自己的名字。

许多年以后，父亲还感叹地说：当年学识字，受了老罪了。

因为母亲的认真，也因为父亲天生就不是学文化料，渐渐地他一见母亲就感到恐惧。刚才还有说有笑的他，一见母亲向他走来，他立马脸色铁青，眼前发黑。有几次，他为了逃脱文化，一到上课时间，他就躲进厕所不出来。他蹲在里面，吸了一支烟，又吸了一支烟。他以为母亲肯定等得不耐烦走了。结果，他一走出来，母亲正一脸严肃地站在一棵树下望着他。他带着哭腔道：你咋还不走哇？母亲说：石光荣，你今天的文化课还没上呢！

父亲的天空就黑了。

军政大学的这段历史对父亲来说灰暗无比。

一年以后，父亲从军政大学毕业了。那些同批和父亲学习的"种子"们，在毕业没多久，有些人便和辅导教员结婚了。一时间，一间间窑洞上到处可以看到贴着红双喜字的窗棂。直到几个月之后，首长找到父亲，开门见山地说：小石头，你看小杜那人咋样？

小杜就是母亲。父亲不解其意，瞪大眼睛说：说啥，你说那个小妖精？别提她，一提她我头就痛。

首长就笑，笑过了又说：小石头哇，当初领导也是为了考虑你的终身大事，才让你和小杜在一起学习的。

父亲听到头又痛了，他睁大眼睛说：啥？你们咋不早说，要是早知道这样，我说啥也不和她学。你不知道这半年的罪是咋受的。

那时，父亲已经学会了服从组织，见首长这么一说也没话可说了，勾着头吸了两支烟才说：那啥，咱不说受罪的事，不结婚不行么？

首长说：这是终身大事，要是以后队伍拉出去，天天打仗，想找这个机会怕是也没有了。

父亲听到这又不言语了，最后点点头说：那我就听组织的。这么多年来，父亲一直在听组织的，才有了今天，所以父亲对组织的决定总是深信不疑。那时父亲还很自私地想：狗日的小妖精，你要真嫁给我，看老子不收拾你。

首长又找到母亲。母亲也感到吃惊，当首长问到母亲对父亲的印象时，母亲只感到可笑。她一想起父亲写字像锄地的样子就感到可笑，别的，没有在心里留下任何印象。

在首长讲了父亲许多的英雄事迹后，母亲终于答应了。当初，她从城市来到陕北，就是怀揣着对革命的景仰和希望，她十分景仰那些为了民族利益不惜捐躯的英雄们。她考虑再三，同意了与父亲的婚事。

在一个风和日丽的日子，父亲和母亲在宝塔山下一个普通的窑洞里结合了。父亲和母亲白天闹了一天的大生产，晚上，他们的被子被搬到了一个窑洞里。闹完大生产回来的父亲，肩扛锄头，看着母亲走进窑洞的身影，他的心里莫名的生出几分快意。他那时想：老子受了你半年的洋罪，我的老师！想到这，他扔下锄头，大步地向窑洞走去。

在父亲和母亲起初结合的日子里，母亲尚不到二十岁，父亲不满三十岁，父亲的精力显得很旺盛。以前父亲随着队伍东跑西藏，打打杀杀，过剩的精力都消耗在了战争中。到了陕北之后，队伍得到了休整，父亲的体力和精力得到了明显的改善，因此这种旺盛的气力有机会用在了年轻的母亲身上。年轻的母亲对婚姻对感情仍然准备不足，她做梦也没想到会和父亲这种人结合。她的情感更多的是让位于对组织上的服从，但在心理上她却难以接纳父亲，就像父亲难以接纳母亲一样。男人和女人毕竟不同，新婚之夜，父亲在母亲身上尝到了甜头，于是父亲便乐此不疲了。母亲无法承受父亲的这种粗暴，况且，她的内心还没有对父亲的爱。每一次父亲向母亲求爱，两人都像打架一样。父亲乘胜追击，母亲层层设障，围剿与反围剿便在那间小小的窑洞中展开了。

后来，母亲渐渐掌握了父亲的短处，那就是每天晚上入睡前，母亲总板起文化辅导员的面孔，教父亲识文断字。一提到识字，父亲顿时蔫了，耷拉下脑袋，低声下气地求母亲说：今晚不学行么？

这时，母亲和父亲的身份彻底颠倒了过来。父亲坐在油灯下愁眉不展，母亲的心情就真的和解放区的天空没有什么差别了。直到夜半，父亲仍没能完全把那两个字记住，他抬起身，"呼"的一声把油灯吹熄了，悄没声息地在母亲身边躺下了。借着窑洞外透出的朦胧月光，父亲望着母亲。在学习文化上，他异常自卑。这一夜，他们自然无话。

母亲掌握了父亲的短处，差不多每天晚上，母亲都要折磨父亲一次，这是父亲最致命的要害。白天，父亲还曾雄心勃勃，可一到了晚上，父亲便一点脾气也没有了。在母亲面前，他恨不能找个地缝钻进去。他觉得母亲简直就是他的克星。父亲的新婚，灰暗又别扭。

白天，父母都忙于各自的事情，只有到了晚上他们才有相聚的时间。父亲很怕回到母亲的身边，回到那孔属于父母的窑洞里。只要有机会，父亲一定要在外面磨时间，直到不得不回到自己的窑洞了，他才蔫头耷脑地走回来。父亲回来时，有时母亲已经睡下了，这是父亲最愿意看到的场面。这时的他会像一名地下党一样，神出鬼没地脱去自己的衣服，然后无声无息地在母亲身边躺下。没有母亲的折磨，父亲的心情是放松的。很快，父亲便进入了梦乡。

这种相安无事，也是母亲最愿意看到的。可父亲的潜意识却不安分，夜半时分，说不定什么时候，父亲便管不住自己了，又一次粗暴地把母亲压在身下。母亲挣扎两下，终是没能挣脱成功，于是母亲就清晰地说：石光荣，今天你的任务还没有完成呢！

这一声让父亲清醒过来，刚才还豪情万丈的父亲，一下子便中弹似的从母亲身上滚下来，不言不语，理屈词穷地躺下了。

父亲觉得这样的日子过得一点意思也没有，他要摆脱母亲的束缚，只有离开母亲他才能重新树立起男人的豪情壮志，否则，父亲觉得都快把男人的颜面丢尽了。

于是，父亲盼望着快些打仗，只要一打仗，父亲又能找回昔日的自己。千军万马面前，他的眉头都不会皱一皱。他也说不清，自己为什么要在母亲面前这么自卑，能否认得母亲教的字只是一方面，并不是全部。父亲觉得这一切仿佛是老天注定的，太邪门了。

父亲没怎么太费周折，就盼来了打仗的日子。胡宗南的队伍向陕北进攻了，于是，保卫延安的战斗打响了。父亲率领自己营的士兵，理所当然地投入到了保卫延安的战斗中。

母亲在投奔解放区之前，是在南方一座城市里学医。战斗一打响，母亲也有了用武之地，母亲被调往战地医院。从此，母亲算是和父亲分开了。

接到任务那一刻，父亲终于长出了一口气。他大步流星地奔回到母亲和他居住的窑洞。母亲已先父亲一步回来收拾行装了。父亲见到母亲，一点也没有分别的愁苦和伤感，他冲母亲眉飞色舞地笑着说：这下我可离开你了。母亲也一脸的灿烂。她投奔解放区是想干一番大事业，现在她也不用整日和父亲在一起了，终于如愿以偿地可以干她想干的事了。于是，她给父亲留下了一个空前美好的笑容。父亲看到了母亲的笑容，他又一次真正意识到母亲原来长得很美。他想说几句比较柔情的话。毕竟他们这是在分别，什么时候在什么地方见面还不好说。但父亲一起想母亲教他文化课那些灰暗的日子，他心里涌动起的那一点柔情立马四散了。

父亲和母亲第一次分别，他们谁都没有互道一声珍重，仿佛他们是一对逃出牢笼的小鸟，各自抖着翅膀一下子就飞向了自由的天空。

接着，保卫延安的战斗就打响了。父亲在战斗中又一点一滴地恢复起了男人的信心。

这段时间，父亲几乎没有见过母亲，他也不愿意去想。只要母亲的形象在父亲眼前浮现，父亲一定会想到那些灰暗无比的日子。于是父亲就不再想母亲了。

母亲在后方医院，她和同伴们在一起，一边关注着前线的战事，一边忙着自己的工作，她也没有想父亲。母亲是个晚熟的女人，况且她还不懂什么是真正的爱情。最主要的一点是，父亲作为男人还没有真正启开母亲爱的心扉，女人心里没有爱便不会去牵挂去思念。夜晚的时候，母亲偶尔回忆起和父亲曾经生活的短暂岁月，她的心里没有留下任何痕迹，有的只是一点点忧伤，还有一点点伤害。

也就是说，此时的父母谁心里也没装过谁。如果命运有所改变的话，他们的情感历程到此就可以画上一个句号了。没有伤害，没有慰藉，什么也没有，他们还是他们。然而，命运却注定他们经过新的一轮分离后，又重新在一起，接着就有了下面新的故事。新的故事既老又新，说不清道不明。

如果说父亲和母亲在革命的岁月中，没有产生一点爱情，那是不真实的。

延安保卫战之后，蒋介石终于意识到，共产党的力量不可小视，他一时半会没有能力一口吃掉共产党这支神出鬼没的队伍。再加上各方面的压力，于是停止了进攻。不久，就爆发了著名的百团大战。父亲在百团大战中光荣负伤了，这也是命运的安排，父亲住进了母亲所在的医院。

在战斗中部队空前地壮大。随着队伍的壮大，后勤队伍也明显地得到了改善,大小战地医院就有几十个。著名的国际主义战士白求恩大夫就是那时候牺牲的。

在父亲负伤住进医院之前,父亲和母亲曾见过几次面,只是匆匆相见。这种情况在当时很正常,别说他们当时不在一支部队,而是一个前方,一个后方,就是同一支部队能见一次也不是一件容易的事。父母匆匆相见,他们没有什么语言。不是因为他们觉悟高,把所有精力和情感都投入到了革命中去,而是因为他们的确没什么可说的。父亲一见到母亲就又勾起了他那些不堪回首的往事。母亲一见父亲,想到的是父亲可笑的粗暴。他们隔着人群,只是那么匆匆一瞥。在心里几乎没有激起重逢后的喜悦和激动。

这次因为父亲负伤,他们得以再一次重逢。也可以说,他们这次相见,使他们的感情有了质的突破,并有了结晶。

母亲是怀揣各色理想的小知识分子,她的梦想上不着天下着地,色彩斑斓,也实际,也浪漫。她和一群学生结伴来到解放区,本身就说明了这一点。然而,现实毕竟是现实。现实多少粉碎了母亲那些过于美好的理想,实际的生活使她清醒了一些。再加上战争的考验和革命的教育,她理解了什么是真正的革命。革命不是浪漫,而是流血牺牲。虽然母亲意识到了这些,但她仍无法改变小知识分子的天性:爱幻想,易激动,经常心潮难平的样子。经过一段战争的洗礼,她的爱恶有了些改变，包括对父亲的感情。她明白了什么是最可爱的人。她自从参加革命队伍后，父亲是她交往最深的男人。前方炮声隆隆，枪声阵阵，她看着一个又一个伤员从阵地上被抬下来，她不能不联想到父亲。想念父亲，不是具体的，而是抽象的。她把对前方战士的挂念和关怀，都倾注到了父亲的身上。说白了，母亲想像中的父亲经过了母亲的理想化。随着时间、环境的改变，母亲脆弱的情感也在改变。

就在这时，母亲在众多伤员中发现了父亲。那次父亲负伤有些虚张声势，他的皮肉多处挂花，却没有伤着筋骨。父亲因失血过多，脸色显得有些苍白。

待母亲确认出父亲后，她的心里动了一下，接着眼泪就流了出来，毕竟父亲和她是有些关系的。母亲就是对那些没关系的伤员，动情处，也会忘记自己医生的身份，躲到无人处，伤心地流出几滴眼泪。这就是女人，母亲。

父亲看见了母亲眼里的泪水，他的心也有所动，毕竟他是个健全的人。在前方打仗的间隙里，脑子会冷不丁地冒出母亲。每次打仗前，父亲和所有人一样，把该想的也都想过了。谁知道双方一开火，还能不能活到明天呢。战争中他们平静地面对死亡，但也恐惧死亡，因为不能避免死亡。过多的死亡出现在他们的身边，他们便和一般人有着对死亡不同的理解。一想到死，就会想到今天的生，梳理自己生的时候，就会想到人生的许多遗憾。这么想时，父亲就会出其不意地想到母亲。母亲让他知道了什么是女人，他也算得到过女人了。那种感受是活生生的，挥之不去，这也是人生的一部分。虽然母亲让他有过灰暗的日子，但也有刻骨铭心的时刻。

父亲看见了母亲还有母亲脸上的眼泪，父亲就说：操，咱们又见面了。父亲说这话时，是有着许多感慨的。

那些日子，父亲成了母亲众多伤员中的一位，现在他们的位置又一次得到了改变。母亲是医生，父亲是伤员。

母亲照料父亲时就比平时多了些关怀、体贴。这使父亲对母亲的看法得到了空前的改变，父亲就想：这小杜要是不教文化，还是挺漂亮的。父亲把可爱归结到了漂亮这一点上。

不学文化时的父亲，在母亲的眼里也不那么愚顽了。做为男人的父亲，此时的刚强和自尊又一次得到了展现，这种展现，让母亲有所心动。

父亲的伤还没有痊愈时，一次战役已经结束了，部队进行全面休整。父亲也就不急于出院了。伤员不再增加，母亲偶得空闲时，她总要在父亲的病床前站一站，摸摸这，看看那。

父亲有一次就感慨地说：要是世界上没有那些字该多好哇。

这话说得母亲一愣，待她明白过来，她只在心里轻吸了一声。这就是她眼中的父亲，有时愚顽得像个三岁的孩子。

父亲能起来了，他可以拖着腿走来走去了。那个季节正是春天，处在山沟里的野战医院四周的山坡上到处开满了山花。父亲鬼使神差地跑到山坡上，采回了一大堆红灿灿的花儿来。他把这些花一直抱到母亲面前，他说：给你的。

母亲没料到父亲竟会有这样的举动，她绯红了脸，有些手足无措地接过了父亲递给她的野花，这是父亲有生以来第一次显得这么有情致，也是最后一次。这一怀抱鲜花打动了母亲那颗芳心。当时母亲又羞又嗔地望了父亲一眼，接过鲜花，低着头就匆匆走了。

父亲望着母亲的背影，他的身子呼地一下热了起来。

这一次，父亲和母亲在战争间隙里有了一次名符其实的团聚。也就是在这一次，母亲接纳了父亲。这是一次真正意义上的新婚，父亲也领略到了真正的母亲。

就是这一次短暂的相聚，母亲怀孕了。不久，她就生下了老大——权。

年老的父母回想起往事，他们才意识到那是他们一生中情感世界里几个亮点之一。

随着环境的改变，母亲也像普通女人一样，学会了等待。因为权的出生使父亲和母亲有了一个无形的纽带。这种纽带一直把他们系在一起。

于是就演绎出了生活中的苦辣酸甜。

权的出世，使母亲的生活发生了变化。这一变化有别于父亲。战争年代的父亲，他更像一条没有了码头的船，在风浪中飘摇着。母亲以及权只是他梦中的一个影子，只有在梦里他们才能偶尔出现。

母亲却不同了，权成了她生活的一部分。只要她看到权，她就会想起父亲，想起自己和父亲的关系以及种种责任。好在母亲在后方医院，不需要她亲自去打仗，但战争年代的野战医院，作战部队走到哪里，他们就要跟到哪里。于是，年纪尚小的权和部队一样，过起了颠沛流离的生活。

权出生时，父亲自然不在母亲身旁，那时他正在太行山一带和鬼子进行游击战。不久，日本鬼子投降了，父亲的部队又马不停蹄地开到了东北。

母亲所在医院虽然也来到东北，但她却无法见到父亲。父亲的部队正在营口一带和蒋介石的部队进进退退地进行着拉锯战。

在辽沈战役前夕，父亲和母亲终于见面了。他们见面的地点是长春郊外的一个小村子。那时解放军已经把长春城里的国民党部队团团围住了，父亲的部队就驻扎在郊外的一个小村里。那天，母亲的医院途经父亲所在的那个小村子，就这样，父亲和母亲在分别五年后，又一次重逢了。在这之前，他们有几次擦肩而过的机会，但阴差阳错，他们一直没能见面。

也就是说，父亲和母亲在长春郊外的村庄里见面那一年，权已经五岁了。那天晚上，父亲亲自把母亲和权接到了自己的指挥所。说是指挥所，其实就是三间民房。一间是父亲睡觉的宿舍，另一间是父亲办公的地方，还有一间是厨房。一直到现在，广大的东北农村仍保留着这种典型的房屋结构。那一年，父亲当上了团长。父亲和母亲见面并没有什么话可说，部队发生的故事就是他们共同的事。该发生的都发生了，他们你看看我，我瞅瞅你。母亲毕竟是女人，她刚见到父亲那一瞬，有一点点激动。不管怎么说，这五年里，她一时一刻也没忘了父亲。这完全是权的功劳，因为权的存在，使母亲无法忘记父亲。但她一看父亲的神态，那种永远无法退却的顽态，又使母亲那一点点激动也消失了。

父亲没对母亲说什么，却对母亲身旁的权说：这是我的儿子吧。来，让爸抱抱。

权不理父亲这个情，瞪着一双溜圆的眼睛说：你是我的儿子！

权不是心血来潮这么说话。战争年代的部队还谈不上文明，经常有伤员和母亲的同事逗权说：权，我是你爸爸。权当然知道这些人不是他爸爸。渐渐地他学会了反抗，别人再这么说时，他也说：你是我儿子。

权当然不知道站在他面前的是自己的亲爹，于是他不假思索地反抗着父亲。这种反抗收到了意想不到的效果，父亲先是怔了一下，马上就哈哈大笑道：好，这小兔崽子真是我儿子。

权这时就真的很敌意地望着父亲了，此时他站在父亲面前，不是兔崽子，而是活脱脱的一个狼崽子。那架式随时准备上前和父亲撕扯一番。

父亲接母亲和权去他那里的一路上，父亲几次想把权抱在自己的怀里，都被权愤怒地挣脱了。一路上，权一直愤怒、警惕地望着父亲。父亲无奈，大度地笑一笑，也就随权去了。

结果，那天晚上就发生了悲惨的一幕。

那天晚上，自然是父亲和母亲还有权一起睡在一个炕头上。在权没有睡着之前，权说死说活也不让父亲上炕。父亲没有办法，吹熄了灯，只能在暗影里坐着。后来权睡着了，父亲才宽衣解带摸到母亲身边。

父亲五年没见到母亲，当时急如火煎的样子可想而知。正在父亲全心全意地把自己和母亲送到极乐世界里的时候，悲剧终于发生了。

当时，父母都很投入，谁也没有想到权会在这时醒来，而且爬了起来，愤怒地扑向父亲……

在以后出生的几个孩子中，父亲最喜欢的就是老大权。在权的身上他又看到了自己年轻时的影子。后来权也当兵入伍。在当上连长后不久，珍宝岛自卫战打响，权所在的部队上了前线，结果权牺牲在了那个冬季。

父亲得知权牺牲后，他一滴眼泪也没掉。他站在办公桌前面，默默地凝望着窗外飘舞的雪花。他只自言自语地念叨着：你真是我儿子……

当然，这一切都是后话了。

战争中的父亲和母亲度过了他们人生中平静的一段夫妻岁月。随着和平年代的到来，他们的关系达到了不可调和的程度。

解放战争结束了，抗美援朝也取得了胜利。在一连串的战争间隙里，父母同心协力一口气又生了三个孩子，他们分别是林、晶、海。晶是他们惟一的女儿。这些孩子都是在战争中呱呱落地，父亲在战争的间隙里播下了革命的种子。

抗美援朝结束后，战争就真的结束了。成了首长的父亲从朝鲜归来，便在一个北方城市落脚生根了。这是他有生以来安顿下来的第一个家。家自然坐落在部队营院里，那是一个很大的院落，在院落的一隅又辟出了一个小院。这个小院青一色是日式建筑，灰色的水泥建筑，这是日本人投降后留下的遗物。日本人显然没有料到他们苦心经营的这些建筑，最后竟落到敌人手里。这些建筑异常的坚固，有点像日本人的炮楼。父亲一直在这里住到离休，那幢小楼仍风雨不透。父亲曾对着这幢小楼感叹：这小崽子真他妈的……父亲不知是感叹日本人，还是感叹日本的建筑。

总之，父亲拥了自己稳定的家——一幢日式小楼。

楼不大，楼下有七八间房，这对父亲来说，他以前做梦也没有想过。他已经做好了打一辈子仗的准备，没想到这么快战争就结束了。于是他拥了这个风雨不透的家，家里面住着妻子还有四个孩子。

一下子安定下来，打惯仗的父亲还真的有些不习惯。他第一次坐在那间宽大的办公室里竟不知如何是好。站起坐下，坐下又站起，手脚都不知往哪放才合适。以前他从没有在这样的办公室里坐过，如果说是有一间房子的话，那就是他的指挥部。不管是战前，还是战斗中，指挥部里总是热闹非凡。作战参谋走马灯似的进进出出，电话铃声不断，墙上桌子上铺满了形形色色的作战地图。父亲只有在那种环境中，才显得游刃有余，心里才踏实。此时的父亲真的无所适从了。参谋人员也偶有进出，电话铃声也时而响起，这一切，远没了战争中那种紧张和忙碌。

无所适从的父亲，渐渐觉得气不那么顺了。部队面临着重新建设，各种计划和设想纷纷诞生。于是参谋秘书们不停歇地往他的案头投送各种材料和报表。父亲对那些文字天生反感，有不少不了解父亲的下级，把那些材料恭敬地放在父亲案头，说一声：首长没事，那我就先走了。

父亲就火了，他拍着桌子吼道：我是睁眼瞎，你们难道也是？这些东西放在这里管个屁用，它们又不会说话。

于是秘书就承担起了给父亲念文件的任务，每份文件都由秘书先念给父亲听，再由父亲拍板定夺。父亲有时也不定夺，他听着那些文件，越听越有气，然后就打断秘书道：别念了！这么点小事也啰哩巴嗦地写这么长的文件，底下那帮人是干啥吃的。他们啥事也不做主，都让我拿主意。还让不让人活了！

秘书听了父亲的话也不好说什么，只是小声解释：首长，这是程序。

父亲不管那么多程序不程序的，他觉得只有战争那才关系到成败。和平年代，哪个师多了什么编制，哪个军少个师长，这都不算啥大事。

有时父亲听秘书给自己念文件，念着念着父亲在那叨叨声中坐在椅子上竟睡着了，而且打起了鼾。秘书便左右为难，走也不是留也不是，就那么难受地手捧文件站在那里，直到父亲醒来，秘书再接再厉地念下去。

父亲被和平生活这些毫无头绪的琐事搞得心情烦乱。他上班的时候是这样，下班回到家里心情仍得不到缓解。

老大权那时已经上小学了，剩下的三个孩子还在幼儿园。他们吵吵闹闹，楼上楼下窜来跳去。母亲那时在一家部队医院里任职。她已经不当医生了，当上了一级领导，上班下班的，也有很多大事小情等着她去做，这些孩子她基本上也没有精力去照管。在战争年代，孩子们有保育员，和平年代了，他们不是上学就是幼儿园，只有晚上才回到家里。

下班后的母亲，还要给一家人做饭。这些孩子基本上就处于自由化状态。因为对父亲感情生疏，父亲出来进去的，他们根本没把父亲当回事，该吵就吵，该闹就闹。

父亲回到家，楼上呆一会儿，楼下又呆一会儿，他不管呆在哪里都得不到清静。白天秘书已在他的耳边叨叨了一天，此时的父亲耳畔仿佛有几架敌机在不停地飞来飞去。父亲终于忍无可忍大叫一声：你们都给我住嘴！

孩子们突然遇到喝斥，一时噤了声，你看看我，我看看你，轰的一声又跑到了楼下。没过多大一会儿，他们该干啥还干啥。在这期间，母亲也抽空从厨房里走出来制止过孩子们的这种胡作非为，可是只消停一会儿。父亲忍无可忍，扑向了孩子们，就像扑向了敌群，劈着盖脑地把几个孩子都揍了一遍。这下可不得了，不但没有止住孩子们的闹，还引来了他们集体的大哭。

这时，母亲已经做好了饭。她一个接一个地哄劝孩子们，让他们都停止了哭，坐到饭桌前。父亲也坐到了饭桌前，父亲早就没有了食欲。他吃什么都索然无味，于是，他就把火气发在家里惟一的明白人——母亲身上。他冲着一桌子的饭菜说：这哪里是吃饭，简直就是猪食！

父亲说完狠狠放下碗，头也不回地上楼了。

母亲做菜水平的确不敢恭维。母亲是学生出身，战争年代都吃食堂，那时也不可能讲究，有吃的能吃饱就不容易了。冷不丁自己做起了饭菜，质量上肯定就没有了那么多的讲究。其实，父亲也不是挑肥拣瘦的人，啥苦他没吃过，在朝鲜，一把雪一口炒面他也过来了，此时他发火完全是他的心情所致。

父亲这样，母亲自然也不高兴。见父亲摔了碗，她也没心思吃饭了，眼里含了泪，径直找到父亲说：我做饭就这个水平，要想好吃，有本事你自己做。

母亲是个很独立的女性，也算从小参加革命，什么场面她也算都见过了，她没法忍受父亲这一套。她才不管父亲是不是首长呢，那是在外人眼里的首长。

父亲不再提伙食的问题了，他又说起了这些不听话的孩子，最后父亲竟恶毒地说：早知这样，何必当初。

母亲听了父亲的话，一时气得脸色苍白。

父亲说完一摔门就走了。

从那以后，父亲住在办公室，吃在食堂。每天，父亲去干部灶排队买饭时，总有一些机关年轻干部冲父亲投来百思不得其解的目光。父亲于是瓮声瓮气地说：看啥看，快吃你们的饭。这些年轻干部便噤若寒蝉，大气也不敢出了。在这支部队里，父亲的名声和他的职务一样，让下级们望而生畏。

这是父亲母亲的第一次正面交锋。

在父亲眼里，家里乱成了一锅粥，简直不是人呆的地方。换句话说，他还不适应这个家。父亲过惯了南征北战的日子。那时部队就是家。

母亲在这件事情上，觉得伤心委屈。这么多年来，父亲只管播种不问收获。父亲让母亲一口气生了四个孩子，然后他拍一拍屁股去南征北战了。然而母亲却无法躲开这种现实，她又当爹又当妈，照顾着这几个孩子。四个孩子让母亲费尽了心思，她从没有抱怨过什么。现在条件好了，父亲又嫌弃这个家了，这使母亲伤心不已。母亲那时就想，父亲走就走，不回来才好呢。

父亲离家出走，吃住在部队里，不久便被各阶层的领导都知道了。他们觉得这是个大事，老石家里出了这么大事，那就是部队的大事。于是分管政治的老冯找到了父亲。老冯和父亲搭班子已经很久了，父亲一直抓军事，老冯抓政治。老冯戴眼镜，一脸的知识分子气。老冯的确有水平，经常捧着马恩列的著作看。父亲看不惯他这一点。曾说：老冯你看这些有毬用，又不管打仗，又不管吃喝。在父亲眼里，看书就是瞎耽误功夫。因为老冯读了很多书，在指挥打仗时就不管用，部队打仗都靠父亲指挥拿主意。因此，父亲不太把老冯当回事。现在不打仗了，情况就发生了变化，老冯一会儿一个方针，一会儿一个政策，听得父亲一愣一愣的。他不知道这些方针政策，是老冯自己的还是上级的。总之，搞得父亲不明不白。索性，一些鸡毛蒜皮的事父亲理都不理，他只管队伍的建设和训练，父亲认为以后打仗这些都用得上。

老冯找到父亲就说：老石呀，家里发生了什么大不了的事，值得你这样？

父亲这人处事历来不拐什么弯，有什么就说什么，于是他就说：家里太乱，不是人呆的地方。

于是父亲就把家里鸡鸣狗跳墙的景象说了说，他又补充道：像咱们这样的人，就不该有啥家。

老冯推一推鼻子上的眼镜，深刻地说：这个情况的确很重要。

那时的部队刚稳定不久，后勤保障工作还没有稳定下来，一切都显得没有头绪。但老冯却不明白，父亲为什么这么看待"家"。

不久，在老冯的亲自过问下，部队成立了全托幼儿园。父亲的四个孩子，除老大权之外，都被送到了全托幼儿园。这使得一批像父母这样的双军人，能把更多的精力放到工作中。

在一派大好的形势下，父亲在老冯的强大政治攻势下，半推半就地回到了那幢二层小楼里。没有了孩子的家，一切都显得那么风和日丽。只有老大权进进出出，权已经上小学了，况且权天生早熟，他很少说话，没事就盯着某一个地方想自己感兴趣的问题。因此，权的存在一点也不影响父亲。

父亲的怨气得到平息。母亲却不这么认为，通过这件事，她更清楚地看清了父亲的嘴脸。她越想越觉得委屈，然后就独自生气。一天到晚，不管父亲说什么，她就是不理父亲。

父亲的情绪已经从困境中走了出来，于是他就有了过剩的精力。每天晚上，他和母亲躺在床上，他就又有了求欢的要求。母亲显得极冷漠，她严严实实地用被子把自己裹了，不管父亲如何挑衅，她总是无动于衷。父亲见软的不行，就来硬的，他动手去扒母亲裹在身上的被子。母亲就大声地说：你住手，我不想和你这个不负责任的人有什么，我怕再生个孩子，没人管。

这句话说到了父亲的软处，一下子他就软了，吸了口气，翻过身并不舒畅地睡去了。

这样的日子持续了许久。最后还是母亲妥协了，毕竟他们共同拥有了四个孩子。在后来的岁月中，母亲一次又一次地心慈手软，使她错过了一次又一次重新寻找幸福的机会。

父亲不仅一生没有得到母亲的真爱，他甚至也没有做成一个合格的父亲。几个孩子出生时，他都不在身旁。因为他的生活习惯，这些孩子们一直对他敬而远之。他也没有兴趣走近孩子们。但在孩子们的人生大事面前，他却武断专行。后来，孩子们一个个都从中学毕业了，又一个又一个地被他送去参军了。在父亲眼里，军人是世界上最好的职业。他甚至连孩子们的意见都不征求，因为他是孩子们的爹，他是部队的首长，他说啥就是啥，没有人能够反驳他。

因此，孩子们对父亲的感情很疏远，没有一个孩子和他说过真实的想法。父亲这种脱离群众独断专行的做法，使晚年的他尝到了孤独的苦果。

那些日子，虽然父亲和母亲又生活在了一起，但他们相互之间并没有更深的了解。白天他们都有各自的工作，很晚才回到家里。权有时放学之后，直接去找母亲，母亲带着权吃食堂。父亲更乐于这样，他真的吃不惯母亲的饭菜。况且回到家里，他们也没有什么可说的。于是，父亲就把所有的精力都放在了部队的建设管理上。天黑了好久，父亲才回家。大部分时候，母亲已经睡下了。有时母亲和权睡在一起，有时就睡在父母自己那间卧室里。不管母亲睡在哪，父亲从不计较什么。他觉得这种毫不相干的日子过得很好。在他的理想里，这大约就是最好的模式。

父母自从在延安被组织介绍结合以来，他们还从来没有认真想过一个现实的问题，那就是对方是否真的适合自己。那时，他们还不懂什么是爱情，他们觉得有了自己各自的工作就什么都有了。况且，现实，又无法让他们各自警醒。但随着岁月的流逝，生活的变化，他们才渐渐地意识到，他们的结合是一件多么荒唐的事情。

父母直到共同拥有了四个孩子，直到他们真正生活在一起，他们才清醒地意识到，原来他们是生活中的两类人。

母亲是学医的出身，洁净成了她生活的习惯，不论是动荡年代，还是和平生活，她都如此。这一点和父亲的习惯却大相径庭。父亲从小到大也没有饭前便后洗手的习惯，这一点是母亲无法忍受的。父亲不论干什么，不管自己有事还是没事，他总是显得匆匆忙忙。每当吃饭前，父亲总要走进卫生间。从卫生间出来的父亲，从来就不洗手，径直走到饭桌前，端起碗或抓起馒头。母亲为了父亲这种不良习惯不知费了多少口舌，父亲就是无法改变。父亲每次从卫生间里走出来，母亲就皱眉头。父亲的样子，使母亲吃也不是，不吃也不是。父亲狼吞虎咽地吃了一会，见母亲仍没动静，便抬头看母亲。见母亲那副难受的样子，这才想起什么似的，放下馒头，走到水龙前，粗枝大叶地冲了冲手，一边嚼着馒头一边说：我手又没摸啥，哪来那么多的毛病。

母亲看着父亲的样子，便没有食欲。草草地吃上几口，便没滋没味地收拾桌子。父亲并没把母亲的不快放在心上，该干啥还干啥。

父亲这种状况，时间长了，母亲无法忍受，便在每次吃饭前，把饭菜单独为父亲盛出来，放在一旁。当父亲来到桌前，看到这副景象，就长长叹口气说：你做医生做出毛病了。我的手又没摸屎，有啥不干净的。

叹完气的父亲就去草率地洗手。从那以后，父亲也条件反射地养成了洗手的习惯。说是洗手，其实就是为遮人耳目地在水龙头前意思意思。水龙头放到最大，伸出手光碰了碰手指。香皂是用不着的，他认为那纯属多余。于是每次都那么意思一下，也算是讲究卫生了。

这一切，母亲都看在眼里，她从父亲身上明白了一条道理，那就是想改变一个人比登天还难。

父亲不仅不洗手，他还没有刷牙的习惯。牙具是一应俱全地摆在那里。每天早晨，他总是例行公事地把牙刷弄湿，在嘴里搅一搅，就算是刷牙了。晚上睡觉前，这样的例行之事也免掉了。

更让母亲无法忍受的是父亲还没有洗澡的习惯。有时一个月也不见父亲洗一回澡。男人汗馊味经常在父亲身上弥漫。每天睡觉的时候，母亲都把自己的身体移到床的边沿，她努力地使自己和父亲拉开一些距离。这种距离毕竟有限，母亲无法忍受父亲的臭气熏天，终于忍无可忍地说：求求你了，洗一回澡吧。

父亲理直气壮地说：咋了，两个月前我刚洗过。打仗那会儿，一年到头也洗不上一回澡，我活得照样很好。

母亲知道，这些话对父亲来说简直是对牛弹琴，母亲便无奈地叹气。每天睡觉前，母亲总要在卧室里点燃一支印度香，那时还很少有香水。

父亲对母亲这一切总是粗心大意，他甚至都没有发现母亲的情绪和变化。在父亲的眼里，母亲的所作所为，完全是多此一举。父亲同时也看不惯母亲那一套。

除了生活上他们的不习惯以外，还有母亲经常叹气，要
么母亲就经常脸色苍白地望着某一个地方发呆。父亲把
这一切都归结为知识分子的臭毛病。在延安的时候，父
亲没有发现母亲这些，那时要发现了，说什么父亲也不
会和母亲结婚。

　　在父亲的心目中，女人就应该风风火火，大着噪门
说话，手脚麻利，脸色永远像天空中的朝阳，这才是健
康的女人。母亲的形象在父亲的眼里显然不够标准。他
甚至一直在担心，说不定哪一天，一觉醒来，母亲便再
也没有气力起床了。父亲在心里把母亲怜惜了。

　　每次母亲让父亲洗手、刷牙时，父亲就找到了反击
的理由，他说：我这样没病没灾的用不着洗手、刷牙，
只有有毛病的人才那么穷讲究。

　　他的话噎得母亲半晌回不过神来。

　　母亲有晚上睡觉前读书的习惯。母亲读书时，父亲
就躺下了。父亲最大的好处就是，只要脑袋一挨枕头便
能睡着。睡着的父亲仍然很不讲卫生，不是咬牙就是放
屁。有时，父亲都睡醒一觉了，睁开眼睛见母亲仍在看
书，就长叹一声说：你累不累呀。这么说完，翻个身又
睡去。

　　母亲有时放下书，望着身边的父亲。望着望着，她
经常吓出一身冷汗。她觉得父亲是那么的陌生，她就和
这个陌生的人一口气生了四个孩子。母亲想到这，就真
的睡不着了。她还在涉世未深时就嫁给了父亲，那时，

她还不懂什么是爱情，什么是丈夫。直到现在，她才明白，她与父亲的结合是多么荒唐，多么可怕。于是母亲只能一遍又一遍地把冰冷伤心的泪水洒在无依无靠的黑夜里。

父亲对四个孩子，没有费过什么心思，却费了不少力气。他的力气都用在暴打孩子上。

四个孩子相继地上了学。母亲那时也忙，没有过多的精力教育孩子们。四个孩子继承了父亲身上许多的东西。比如说胆量，他们总是天不怕地不怕的样子，经常在外面打架，每次打完，老师总要把电话打到家里向父亲告状。父亲觉得让老师把状告到家里很没面子，便不问青红皂白，抓过来就打。一时间，孩子们的惨叫声从楼上传到楼下。父亲一边打孩子一边问：你服不服？孩子就答：服了。父亲又问：你还打不打架了？孩子又答：再也不打了。父亲仍不解气，又用力猛打几下，才住了手。

孩子毕竟是孩子，没隔几日，又和别的孩子打架了。于是，楼外路过的人总是隔三差五的能看到父亲跃马扬鞭暴打孩子的身影。父亲痛打孩子的神情，一点也不亚于他对国民党的仇恨，打起来一点也不心慈手软。有时母亲看不过去，冲过来，夺下父亲手中的家什说：孩子又不是野种，打成这样你不心疼？

父亲正在气头上，声音很大地说：这帮小兔崽子，不打不成才。

母亲就和孩子们抱在一起哭成一团。有几次，最小的海一边哭一边冲母亲说：妈，你把我们领走吧。我们不在这个家里呆下去了。

母亲还能说什么呢，她哽咽着说：你们就当没有他这个父亲吧。

孩子们那时还不懂什么是父亲，但在心里流露出的是对父亲的仇视。

每天父亲回来，原来还有说有笑的孩子们，立马没了声息。他们把自己关到房间里，父亲的存在，使他们感到窒息。

母亲和父亲生活在一起，让她看不到一点生活的曙光。她没有体会到爱和被爱，生活自然也缺滋少味。今天和明天一样，明天和后天也没什么两样。母亲的日子死水一潭。

就在这时，母亲意外地和师兄重逢了。那年，母亲投奔延安的时候，他们一起共有五个人，两男三女。其中就有这位师兄。师兄比母亲高一届，在南方那座城市的医学院里，母亲并不熟悉师兄。是延安把他们的命运联系到了一起。那次，他们一行五人，辗转了两个多月，才到达了延安。他们在延安又共同生活了一年多。百团大战前夕，他们被编入了不同的医院，后来，他们就很少见面了。那时部队调动频繁，合合分分的是家常便饭，于是，母亲就和师兄失去了联系。

　　这次师兄带着一些人来到母亲所在的医院取经学习，他们就这样意外地重逢了。

　　母亲见到师兄的那一瞬间，她以为自己是在做梦。师兄还是老样子，戴一副金丝边眼镜，脸上永远地挂着微笑。他显然也认出了母亲。直到他的手和母亲的手紧紧地握在了一起，母亲才知道，这不是梦。十几年前的种种经历又雷鸣电闪地涌到了母亲面前。

　　在投奔延安的路上，师兄这只手不知拉过她多少次，师兄的手是那么的温暖和有力。那时的师兄也总是面带微笑。不论他们是迷路，还是通过敌人的封锁区时，只要师兄的手拉住母亲的手，母亲便觉得眼前的困难就什么都没有了。就是师兄的这双奇特的手，一直把她带到延安。

　　在延安的一年多时间里，是母亲最快乐的日子。那时，他们这些投奔到延安来的青年被编在一个干训队里学习。师兄住的那孔窑洞，就在母亲窑洞的上面。母亲每天走出窑洞，一抬头，就能看到师兄正冲她点头微笑。她那时就连自己也说不清，只要一见到师兄的身影，她就快乐无比。

　　他们一起开过荒种过地，又一起学过纺织，延安的纺车，"吱吱呀呀"地响着，伴着他的歌声和欢笑。只要有师兄在，母亲就少不了欢笑。有时，母亲一天见不到师兄的身影，她的心里就会空空落落的，仿佛少了什么东西。

　　有许多傍晚，她和师兄顺着延河，背对着夕阳一起散步。他们谈着理想以及美好的共产主义社会。那时，夕阳在他们眼里无限美好，滔滔的河水，仿佛是他们涓涓流淌的话语。他们就这么走呀说呀，天色渐晚了，有了一丝一缕的凉气。师兄把自己的外衣脱下来披在了母亲的身上。母亲真实地感受到了师兄的体温，以及师兄的气味。后来，他们就往回走了，过一个土坝，师兄又伸出了他那温暖的手，牵着母亲走过土坝，一直走到母亲窑洞前。在微弱的光线里，师兄冲母亲温暖地笑笑，接过母亲还给他的衣服，冲母亲挥一挥手，一步步地向自己的窑洞走去。这一切，都成了母亲遥远如梦境一样的回忆。

　　许多年过去了，偶尔，母亲仍能想起过去的每一个细节，仅仅是回忆而已。这就是现实，这就是命运。后来母亲的神经都麻木了，她不再去回忆。过去的一切，只能让她痛楚。

　　她还清晰地记得，她和父亲成婚那天，师兄一个人坐在一个土坝上，就那么一动不动地坐着。她知道师兄想的是什么。在这之前，组织做她的思想工作，让她和父亲结婚。她曾把这一消息告诉了师兄。那时，师兄什么也没说，只冲她苦笑了一下。半晌师兄才说：有可能这也是革命的一部分。

　　那时，母亲就是怀着对革命的全部热情，才和父亲结婚的。母亲在许多年以后，仍在心里这么安慰自己

——我真的是彻底把自己献给了革命。

那一次，师兄的卫生交流团，在母亲所在的医院住了三天。他们除了交流工作之外，还说了许多别的。

母亲从师兄那里了解到，师兄早已结婚生子了，师兄的爱人是人民教师。他们的孩子也已经十几岁了。也就是说，师兄已经有了一个温暖、幸福的家。

后来师兄就走了，他仍是微笑着和母亲挥手告别。这一段不经意的插曲，却使母亲久久无法平静下来。

许久之后，师兄的音容笑貌仍在母亲的心里不断浮现。每当她走回现实中的家，有许多次她幻想着是师兄的身影站在家门前迎接着她，冲她微笑，冲她招手。然而，现实就是现实。她看到的是，父亲那张永无笑容的面孔。父亲大声地在厕所里小便，解完后他仍然不会去拉水箱，任由厕所的味道在整个房间里传播扩散。

母亲还能说什么呢？师兄的出现，给母亲无奈的生活带来了一份幻想。然而这份幻想，又常常让她感到痛苦。

在生活中，她经常把父亲幻想成师兄。要是父亲就是师兄会是什么样子呢？他们下班后回到家里，他们会有许多话要说，工作上的争论，生活上的畅想。夜深人静了，孩子们都睡去了，明亮的灯光下，他们一起读书学习。然后会对某个问题的不同看法，争论几句。一切都是那么自然，那么亲切。

现实中的父亲轻而易举地就粉碎了母亲的幻想。匆匆走进家门的父亲，没有一句多余的话。走到餐桌前，屁股似乎还没有坐稳，一顿饭差不多就吃完了。父亲吃饭时发出的声音异常响亮而又有节奏，这是母亲无法忍受的。吃完饭的父亲又急三火四地走进厕所，尿出一泡热气腾腾的尿，然后不洗手不洗脸地打开收音机。收音机里正在播放新闻联播，美苏两个超级大国这样或那样，国内又是如何狠抓阶级斗争、反修防修等等。父亲读不懂报纸，听收音机成了他信息的主要来源。于是父亲总是要雷打不动地听收音机。他密切关注着国际国内的诸多大事。

听完收音机的父亲就精神很好地说：要备战了。操心完国际国内诸多大事后，父亲就困了。他照例不洗脸不洗脚地倒头便睡，不一会儿，便打起了响亮的鼾声。母亲躺在床上一边读书一边想，要是身旁躺的是师兄会如何呢？

有时母亲被自己的想法吓出一身冷汗。

母亲这些变化，父亲自然无从察觉。在父亲眼里，母亲也简直是一身毛病。母亲爱干净这一点就让父亲无法忍受。父亲每天回到家里，见到母亲总是洗洗涮涮，并且总把家里弄得一尘不染。父亲回到家里脚没处放手没地搁，总是小心翼翼的样子。因此，父亲一回到家里，心里就很不踏实。

父亲最担心的是自己的四个孩子。他们出门进门时总要向母亲问好或打招呼，在父亲眼里这都是多此一举。还有的就是，进门也学他们母亲的样子，"哗哗啦啦"地拧开水龙头洗手，然后悄无声息地各自做各自的事情（四个孩子都已经大了，他们不再打闹了）。这反弄得父亲无所适从。他无论如何也想像不出，这四个孩子的身上还流淌着他的血液。

最让父亲无法忍受的是，孩子们越来越像他们的母亲了，没事总爱想心事，一副多愁善感的样子，还一次次地叹息。这种样子和他们的母亲如出一辙。有许多时候，孩子们把自己关在房间里和母亲嘀嘀咕咕，没完没了，有时也有说有笑的。只要他一出现，他们顿时没了话语。父亲觉得孩子们没和他们的母亲学出什么好来，简直是一群叛徒。

因此，父亲在家里总是孤家寡人的，他就显得比较孤独，他就很反感家里的这种氛围。于是，父亲很热衷搞"拉练"。只有部队到农村、山区搞野营拉练，他才感受到什么是轻松和自由。

那一次，父亲的部队来到了河北农村。这时他想起了在朝鲜一位营长的遗言。那位营长在第三次战役中身负重伤，牺牲前他拉着父亲的手说：师长，我只求你一件事。回国后你去我家替我看看老婆孩子。父亲当时眼含热泪答应了。回国后，父亲很忙，又被家里外面许多烦人的事所纠缠，他一直没有时间兑现烈士的遗言。这次他来到了河北，他马上就想到了那位烈士的遗言。父亲是一个很重感情的人，想到多年前的允诺，他便再也坐不住了，立马叫来自己的司机和警卫员，向那位烈士的家乡进发了。

他很容易就找到了那位烈士的妻子。那女人听说自己丈夫的部队来人了，隆重而又热烈地把父亲迎进了自己的家。这是一个普通农民的家。三间土房，猪呀，鸡呀，狗的大模大样地在院子和房间里走来走去。女人见到父亲时，正在自家的菜园子里劳动，她用沾满泥巴的手亲自为父亲摘了几根黄瓜，女人又同样热情地把黄瓜在自己的衣襟上擦了擦。父亲接过来，毫不犹豫地放进了自己的口中。

父亲对这一切都感到亲切和自然，他坐到女人的土炕上，直到这时他才找到了家的感觉。于是，他就跟到了自己家里一样地和女人说起了家长里短。他从女人的谈话中，得知女人一直没有再找男人，她自己领着孩子过日子。这一点很是让父亲感动。当然他们也都说到了那位烈士，因年代久远，女人对这种悲伤已经淡漠了。她的情绪只低落了一会儿，便马上又眉开眼笑了。她大着声音，一边很响地朝地中央吐痰一边和父亲说笑，父亲自然也是一副乐不可支的模样。乡村的感受，女人的作派，又把他带回到遥远的童年。

女人自然热情地挽留父亲一起吃了饭再走，父亲感觉已经到家了，他也就不再客气了。吃饭的时候，女人又细心地为父亲烫了一壶当地的老白干。父亲坐在土炕上，喝一口白干酒，吃一口带着泥土芬芳的女人炒出的菜，他心里热了一遍又一遍。那一次，父亲破天荒地喝多了，最后，他脚高脚低地和满面红光的女人挥手道别。直到他坐进轿车里，他才意识到，他需要的是怎样的女人，什么样的家。

从那以后，父亲每年都要找这样或那样的借口到河北农村走上一趟，坐在女人的土炕上，喝一回儿老白干，他才心满意足。

有时，他望着母亲苦闷地想，要是自己的女人是那个河北女人该多好哇。他这么一想，愈发觉得母亲一身的"毛病"让他无法忍受了。

在家里，父亲有时一连十几天也不和母亲说上一句话，他们的确也没有什么可交谈的。有许多次，父亲在梦中又去了河北农村，他在梦里一边喝白干酒，一边和那个满面红光的女人说家常，那是一副多么美妙动人的景象呀。每次，父亲从梦中醒来，他都要失魂落魄好长一段时间。

父亲进城后职务造成环境的变化，仍没能改变父亲的心性，他的情结已经深深地植根到了他的生命中。环境无法改变他，他也无法改变现实的环境。于是，父亲只能在矛盾、困惑中痛苦。

父亲却异常热爱军人这一职业。他从十几岁就走进了队伍，打打杀杀，拼拼争争。当初，他们打仗的目的是为了过上太平日子，现在终于过上了这种太平日子。然而，父亲又感到莫名的失落，没有战争的日子，对父亲来讲是最痛苦不过的事情。好在那时部队经常备战，用备战的形势来防备"美苏"两霸的侵略。于是，父亲身体里那根战争之弦就那么绷着，他相信用不了多久第三次世界大战就会爆会。父亲对战争这种常备不懈的信念，成了他生活中的一大支柱。否则，生活中的不幸福就会把他压垮。

父亲没有等到他所盼望的战争，他却等来了自己的更年期。更年期过早地降临到不幸的父亲身上。那时，父亲刚五十出头，这和他常年得不到舒展的心情有关。在那一段时间里，父亲脾气暴躁，极易激动，也爱发火，哭哭笑笑，喜怒无常。他对自己性情的变化没有足够的心理准备，母亲也没有心理准备。许多年以后，母亲才发现那几年正是父亲的更年期。父亲把自己这一切完全归咎于母亲，那就是他看母亲什么都不顺眼。

母亲比父亲小个十来岁，四十多岁的母亲，在情感上得不到慰藉，她已经把大部分精力用在了自己的事业上。那时孩子都大了，一个又一个孩子相继着被父亲送到了部队里锻炼成长，母亲也当上了一家部队医院的院长。父亲的更年期，导致了他和母亲之间的矛盾进一步恶化。

更年期导致父亲的喜怒无常。在工作中，任何人也看不出父亲这种变化。父亲虽然是首长，但他却一点也没有首长的架子。他在自己的办公室里或者到部队去检查工作，他很少坐在椅子上发布讲话或听取报告，而是一只脚踩在椅子上，大口地吸烟，大声地吐痰。他讲话时还经常带出一些比较粗俗的字眼，这使得下级军官们都感到父亲这人亲切随和。不论有什么困难他们都愿意找父亲。父亲眼里，只要不是和战争有关系，就是天塌下来对他来说也是小事。因此，父亲对下级军官们来说总是有求必应。因此，父亲在部队下级们的眼中有着极好的声誉。

在家里，尤其在母亲面前，他却一点也无法忍受。在更年期到来之际，他一回家里看什么都不顺眼。为什么不顺眼他自己也说不清。他经常砸锅敲碗地冲母亲叫嚣道：这是他妈啥日子，整天死气沉沉的。又不是死人了。

父亲公然地指桑骂槐，母亲当然听出了父亲的弦外之音。母亲觉得忍受父亲这么多年了，她也受够了。父亲不跳将出来，她还能忍一忍。父亲一旦跳将出来，母亲才不吃他那一套。

于是，两人就唇枪舌剑你来我往大战起来。两个人一旦撕破脸皮觉得什么都没有什么了。两人穷凶极恶，挖空心思地数落对方的种种不是。这种胸襟坦白，都使对方感到吃惊。在这之前，对方都以为自己的形象在对方眼里没有这么糟，在气头上把该说的都说了，他们才都大吃一惊。狂躁的父亲冷静了一些，然后说：都这样了，这日子还过个啥劲。

母亲也说：不过就不过，我早就受够了。

父亲的眼睛也瞪大了，他吃惊母亲竟说出这样的话来，然后像孩子似的指天发誓道：咱们离婚！谁不离就不是人。

母亲气得已经一句囫囵话也说不出来了。

第二天一上班，父亲就张张扬扬地打电话。把政治部机关的领导叫到了自己的办公室。气得昏头的父亲此时已经有些公私不分了。以前他有什么事总是把下属单位的领导叫到自己的办公室交待。这次他仍毫不例外地冲政治部领导说：你马上给我开张证明，老子要去法院。

政治部领导不明白父亲去法院干什么，便问：首长，去法院干什么？

父亲一拍桌子道：老子要离婚！老子受够了，这次非离不可。

政治部领导觉得这事闹大了，他做不了主，便把这事汇报给了冯政委。冯政委是父亲的老战友，又是平级，平时有什么事，只有冯政委的话，父亲还能听进一些。

父亲的气仍没消，他仍然冲桌子吹胡子瞪眼，他像一头红了眼的公牛，在屋里团团乱转。冯政委一进屋就说：老石，你不是开玩笑吧？父亲就瞪着老冯说：离！这次我老石说啥也得离。冯政委的汗珠子就从头上滚下来了。他觉得事态真是严重了。这是部队的最高首长，五十多岁的人，还离婚？要是真离了，一定是近几年来部队政治工作的头等事故，也就是说他这个分管政治工作的政委是有责任的。别说父亲这样的人物离婚，就是一般干部离婚，不脱层皮也离不成呀。如果原因出在干部身上，轻者降级，重者开除军职。冯政委的第一个念头就是，这婚说啥也不能离，当年他和父亲都是在延安时由领导作主介绍结的婚。现在那位领导仍在北京掌握着部队的大权，这么说离就离了，这不是对领导的否定吗？

冯政委做了大半辈子思想工作，头脑敏捷，思路清晰。他先做父亲的思想工作。他从延安讲到现在，又从父亲的婚姻联系到部队的稳定，从政治又讲到感情，等等。冯政委那天围着父亲讲了整整一天。

冯政委讲得滔滔不绝时，父亲并不插话，他闭着眼，不知是听还是没听。待冯政委口干舌燥时，父亲睁开眼睛道：冯铁嘴，别人不知道你我还不知道，你能把死人都说活了。但想说服我老石，没门。

一句话呛得冯政委顿时没了下文。冯政委了解父亲的脾气，他并不计较父亲的抢白。在和父亲讲大道理时，他已经理清了这件事的主次。他要找到母亲，只要把母亲的思想工作做通了，就是父亲有天大的本事这婚也离不成。

冯政委又马不停蹄地找到了母亲。母亲已经不准备回家了，她在办公室里支起了行军床，她就要在"沙家浜"住下去了。果然，冯政委找到母亲后，军内军外，一通道理讲完后，母亲这才意识到，要想离婚比登天还难。那时的政治气候，还有国际国内的氛围，使母亲清醒了。她知道，除非自己死了，否则休想和父亲脱离关系。

父亲却坚定如铁，他一遍又一遍地叫嚣着一定要离婚。那时部队就相传，父亲有了一个相好的。年方二十出头，就在河北某地，长得如花似玉等等。父亲不知道这些传闻，他铁了心要离婚。他曾扬言，即便这个首长他不当了，也要离成这个婚。然后，他叫来秘书。由他自己口述，让秘书记录，他要给上级写一封离婚报告。

那份报告是写完了，但被冯政委偷偷地压下了。如果不是发生林彪叛逃事件，父亲肯定不会善罢甘休。结果那事情一发生，上下便开始清查林彪一小撮反革命集团了。父亲才放下了自己离婚的事。

父母这次离婚虽然未遂，但给他们的情感蒙上了一层浓重的阴影。

母亲后来在冯政委的劝说下，还是从医院的办公室搬回到家里。但从那时开始，父亲和母亲便正式地分居了。那时，孩子们离家都到部队当兵去了，楼上是母亲，楼下是父亲。两个人关系紧张，老死不相往来。从那时起，父母都养成了吃食堂的习惯，家里很少开火，日子倒也相安无事。人们都知道父母的关系，很少有人到家里来。偶有人来，父亲的客人父亲自己招待，母亲的客人母亲自己招待。要是他们共同的熟人，他们也会一起出来陪客人坐一坐。客人一走，他们又变成了陌路人，走回到自己的房间里，把门严严地关上。

孩子们有时从部队回家，他们大部分时间和母亲在一起，偶尔也到父亲这里坐一坐，父亲不稀罕他们坐不坐。好在从小就了解父母的关系，眼下父母这个样子，他们已经习惯了。

那时，父母做梦都想着离婚，因为婚姻把他们束缚在一起，就像两只被绑在一起的蚂蚱。他们一边难受一边挣扎。其实，他们离婚后如何生活，他们并没有想得很多。只要能离开对方，对他们来说，这就是一种最好的解脱。

父母的婚姻名存实亡。母亲住在楼上，父亲住在楼下，按理说，他们这种毫不相关的样子，使他们都有了暂时解脱的机会。但他们却一点也没有得到解脱。只要看到对方在眼皮底下的存在，他们就有了莫名其妙的火气，和说不清道不明的难受。

那时家里有一台黑白电视机，是部队配发给首长的，就放在楼下的客厅里。母亲有时回来得比父亲早，那时电视机还很稀罕，母亲就抽空看几眼电视。只要父亲回来，母亲不管看得多么投入，马上转身上楼，把楼下让给父亲。父亲对母亲这种态度非常恼火，他一边脱去外衣，一边冲母亲上楼的背影道：有啥了不起。

母亲听了父亲这种穷凶极恶的话，自然是很生气。

这时她不和父亲一般见识，把火气憋在肚子里。这样一来母亲就很难受，在楼上不论干什么事都弄出很大的动静。父亲听到了心里也很不舒服，他在楼下也要没事找事地弄出很大声响，以示抗议。

母亲进进出出的，都要从楼下的客厅里走过，两个人便经常在客厅里不期而遇。这时两人谁也不睬谁，但他们又分明看到对方的存在。母亲经过父亲身旁时总要"哼"一声，父亲自然也要"哼"一声。

冯政委自然没有忘记父母关系的这种危机，解决这种危机是他的责任。于是，隔三差五的他就要到父母这里坐一坐。每次，他总要先在楼下的客厅里呆上一些时候。父亲这时是主人，自然是要陪坐的。两人有一搭没一搭地看着眼前的电视，老冯似乎也在有一阵没一阵地说话。他说：老石呀，转眼就几十年过去了，都不容易呀。

父亲支吾一声应付着，他知道老冯的胡芦里卖的是什么药。

冯政委又说：咱们的头发都花白了。你看看你，再看看我。

老冯说完拍一拍自己的头。父亲很少面对镜子，头发花白了多少，他心里真没什么数。但他看到老冯的头上，已经花白了大半。

于是老冯又说：老石呀，咱们清白了大半辈子，可不能晚节不保哇。你看现在的日子，是一天比一天好了。

父亲仍不说什么，只是哼了一声。

老冯在父亲这里寒暄了一会儿，便站起来说：我去看看小杜。

说完便上了楼。楼上是母亲，楼上的母亲是主人。母亲在楼上又陪老冯坐了一会儿。在老冯来之前，母亲正在看报纸。

老冯就说：小杜哇，最近医院的情况怎么样呀？

母亲知道老冯此时关心的不是什么医院，但她还是简单地介绍了一下情况。

老冯就笑一笑，然后半开玩笑地说：当年在延安时，你们这批学生还是红小鬼，现在都成红老鬼了。

母亲就笑一笑，她又一次感受到了时间的无情。

老冯还说：没什么大不了的事，咱们大江大河的都过来了，家庭上的这点小事算不了什么。夫妻嘛，哪有不怄气吵嘴的。前几日小王还和我吵了一架呢，也是要离要散的，过几天这不就好了么？哈哈……

老冯的老伴也是在延安时组织介绍的，他说的小王就是延安时的文化教员。

老冯楼上楼下一通和稀泥，他觉得和得差不多了，便拍拍屁股走了。

老冯走后，楼上楼下仍是一片压抑的气氛。虽然老冯还是老调重弹，没什么新招，但老冯的话还是在父母心里起到了至关重要的作用。老冯的一些话，让他们清醒地看到了现实，那就是，他们不可能离婚。楼上楼下住着可以，就是不能离婚，否则对不起部队官兵，对不起眼前的大好形势，对不起战友，对不起老上级。一句话，就是谁也对不起，包括他们自己的晚节。

因此，父母没再为离婚的事折腾，他们都尽力地克服着自己。

后来，母亲的更年期也如约而至，她的火气也比以前大了许多。每天她都要从医院里拿回许多报纸，然后坐在阳台上高声朗读。母亲说：以华国锋为首的党中央一举粉碎了万恶的"四人帮"……

母亲还说：党的十一届三中全会隆重地在北京召开。

……

父亲听着母亲高声朗读，心想，认识几个字有啥了不起，于是他把电视的音量开到了最大。电视里正在转播十一届三中全会的盛况，此时电视机已换成了彩色的了。

父亲的电视机声音干扰了母亲高声朗读，母亲气愤地站起身，很响地把门关上了。

没滋没味的父亲，觉得电视机实在是吵得很，过一会儿，他也把电视关上了。

父亲、母亲在这种无声的对抗中，一年一年地过去了。又没多久，父亲离休了。又没多久，母亲也离休了。

没几日，父亲母亲离开了部队大院，住进了干休所。干休所也是二层小楼，不是青灰的水泥楼，而是红砖楼。父母居住的格局仍没得到改变，母亲仍住楼上，父亲住在楼下。

父亲离休后，头些日子他总是无所事事的样子，背着手叼着烟楼前楼后地转悠。早些进驻干休所的人们，已经形成了他们固定的群落，不是下棋就是打太极拳，要么就是练各种各样的气功。父亲对这一切都不感兴趣，他很快地便有了自己的爱好。

他先是在楼前的空地上，翻出了一块地，又让当年牺牲的那位营长的儿子，从老家河北农村带来了茄子辣椒西红柿的种子。昔日战友的儿子，早被父亲安排到了自己的部队里。于是，父亲便在楼前种出了茄子、辣椒、西红柿。没多久，它们便在父亲的侍弄下，苗壮成长了。

父亲的大部分时间，都在这片苗壮的菜苗前驻足观望。仿佛是在视察自己的部队，父亲的目光中流露出了满足和陶醉。

父亲另一大爱好就是迷恋上了足球，及一切以集体形式比赛的体育节目。父亲最喜欢的还是足球这一形式，他尤其喜欢中国与外国的比赛。父亲坐在电视机前，两眼发亮，精神亢奋，不停地吸烟，喝水。然后不停地跑进卫生间很响地小解。父亲耳朵已经有些背了，他每次看比赛时，总是把电视的音量调得很大。背景观众嘈杂的助威声他一定要听到。双方各十一名队员，往返着在球场上奔跑。父亲有时高兴，有时懊恼。他还不停地拍腿，每场球看下来，父亲的大腿，总会红肿一块。

如果中国队赢了，他会一连高兴好几天。若是输了，父亲就会很生气。他骂那些队员无能，把中国人的脸都丢尽了。冯政委也离休了，仍经常到父亲这里来坐一坐，父亲看球时，他也会乐呵呵地陪父亲看上一会儿。老冯不像父亲，不管中国队是赢是输，他都是那个样子，看到急成那样的父亲就说：友谊第一，比赛第二。父亲就说：狗屁！然后就拉着老冯的胳膊急赤白脸地说：你说咱那时怕过谁，小日本咱们也打过，国民党就不用说了，就是美国大鼻子咱也把他们赶到三八线以南去了。嗯，你说怕过谁？

父亲说到这就一脸忧虑地说：这帮年轻人咋就一代不如一代了呢。韩国人算个屁呀，打他们不是小菜一碟，你说说。

老冯不说，笑一笑，就走了。留下父亲一个人在那里生闷气。中国足球队很是不让父亲省心，经常弄得父亲很不痛快。父亲不痛快的时候，就走到楼外那片菜地旁，看着那些硕果累累的茄子、辣椒们，父亲的心情渐渐就开朗了。

母亲一如既往地不和父亲有什么往来，她仍然不停地读书、看报。母亲离休后，仍作为专家在医院里返聘着，每逢一、三、五上午，母亲仍到医院里去坐诊。因此，母亲很充实。她从来不对父亲那些茄子感兴趣。

父亲经常要为那些菜施肥。父亲自然不用化肥，父亲在电视里已经知道化肥不是什么好东西，会让人得癌。父亲专门买了两只水桶，隔三差五的就去部队营区的公共厕所里打捞大粪，然后臭烘烘地挑回来。昔日的下级们看到父亲挑大粪，总是于心不忍的样子，要帮父亲挑，父亲坚决地拒绝。父亲把小楼周围环境搞得极其恶劣，母亲在家时总是门窗紧闭，然后在自己的房间反复地喷洒空气清新剂。

母亲经过楼下时，总是用手捂了鼻子，快步走过，然后冷冷地扔下一句：土包子。

父亲自然是听到了。他不屑地瞅着母亲的背影说：臭知识分子，有啥呀？一身的毛病。

父亲最不能忍受的就是母亲流眼泪。那一阵子，母亲迷恋上了港台剧，故事里面的男欢女爱一波三折、揪着母亲的心。看到动情处，就触景生情，小姑娘似的哭。有几次，父亲在楼下都听到母亲的哭声了，他不知发生了什么，便蹑手蹑脚地上了一次楼。看见母亲正冲着电视在哭泣，父亲明白了，又原路返回。回到楼下，父亲气哼哼地说：神经病。

他们年纪大了，都离休了，但他们仍然无法忍受对方的"恶劣"行径，简直就是水火不相容，相互看一眼都觉得闹心。

又有一次，母亲经过楼下。她正准备走过去时，父亲说话了。父亲说：哎，我看咱们还是离了吧。离了就一了百了了。

母亲站住脚，认真地看了眼父亲，点了点头。

那天晚上，父母坐在一起，认真地分析了一下这次离婚的可行性。他们一致觉得，现在时机已经成熟。原因之一就是他们都不在职了，就是离婚也不会有什么不良的影响。其二是，现在离婚的政策放宽了，不用惊动法院，去一趟街道办事处就能把手续办下来。其三是，两人觉得，他们这种名存实亡的婚姻确实也没多大意思。

又一个周末，父亲给孩子们都打了电话，说有事找他们商量。于是，三个孩子相继回来了，那时老大权已经早就牺牲在珍宝岛了。这三个孩子也都不年轻了，他们都到了中年。

那天父亲就郑重其事地说：我要跟你们的妈离婚。

孩子们一点也不感到吃惊，其实现在父母这个样子和离婚也没什么大的区别。

父亲见孩子们没什么反应，就又说：这房子是我和你们妈的，离婚后她住她的，我住我的。我们也都这么大岁数人了，离了之后也不会再给你们找后妈后爹了。你们看咋样？

孩子们当然没有任何异议，就是给他们找后妈后爹他们也不会有什么意见。几个孩子从小的情感就倾向母亲，觉得他们的母亲是一朵鲜花插在了牛粪上。母亲受了一辈子委屈，母亲早就该解脱了。于是，全家对这一决定一致通过。

手续很简单。由干休所分别给父母开具一张证明，择个日子去一趟街道办事处就可以了。他们的离婚理由是：感情不和。

老冯还是知道了父母又一次离婚的消息。他又一次找到了父母亲，很痛心地冲父母说：你们这样不挺好吗，干嘛非得离呢？

父母不再和老冯多说什么了，他们一起去了街道办事处。

父母离婚的消息还是在干休所引起了一场不大不小的风波。但很快也就过去了。

父母离婚之后，他们在外人看来还是老样子，但他们觉得自己却一下子轻松了许多。究竟为什么轻松，他们自己也说不清楚。

首先发生变化的是，他们双方相互看着不那么难受了。

逢星期一、三、五的早晨，母亲穿戴整齐地去医院上班，父亲在楼下看到，便和母亲打招呼：去坐诊呢？

母亲一边捂鼻子一边点点头。

父亲就说：臭着你了，真过意不去。

母亲透口气说：没什么，你忙你的。

父亲便望着母亲的身影一点点远去。

父亲再看球赛时，见母亲坐在阳台上看书的身影，便关小了音量。

周末的时候，母亲有时主动走下楼来，不管父亲同意不同意都要把父亲的床单被罩收走，拿到楼上去洗。父亲便不好意思地说：又麻烦你了。

母亲不说什么，表情明显地柔和了。

在这之前，父亲的被褥总是自己洗，好在他一年也洗不了几次。

晚上睡觉前，母亲有时也会从楼上走下来，冲父亲说：晚上就把空调关了吧。别受了凉。

父亲有时听母亲劝说，有时不听。但不管怎样，父亲一点也不对母亲的这种劝慰反感了。吃饭的时候，母亲有时会端着一两个炒好的菜送给父亲说：老石，你尝尝我做的菜。

父亲也不推拒，他就尝了尝母亲的手艺。他觉得母亲的菜也不那么难吃了。

父亲也有礼尚往来的时候。他摘了一些自己种的茄子、辣椒送给母亲说：老杜，你尝尝我种的菜。保证没有化肥。

母亲也不推拒父亲的这种礼让，她很愉快地接纳了。

周末的时候，有时孩子们到干休所来看望他们，父母在孩子们面前又有说有笑了。

其中一个孩子就打趣道：你们还是离婚好。

父母听了，两人都怔一怔。

有时几周孩子们也没来，一到周末，母亲就走到楼下像是自言自语地说：孩子们该来了。

父亲也说：就是，他们该来了。

然后，两个人齐心协力地向窗外张望。

父 亲 离休

FU QIN LI XIU

父亲离休

　　父亲在当满了四十七个年头的军人后，终于离休了。父亲离休之后，和那些所有离休的老军人一样，住进了环境优美的干休所。

　　父亲从十五岁参军那天起，他就没想过有朝一日会离休，被送到一个整齐的院落里让人供养起来。父亲在十五岁那年参军后，他就一直预感到，迟早有一天，自己会战死在沙场上，死在战场上的军人才名正言顺。父亲打过无数次仗，先是和日本人打，又和国民党打，后来在朝鲜战场又和美国人打。一路拼杀过来的父亲，不仅没有战死沙场，反而在战争中壮大了起来。后来竟当上了军区的副司令，这也是父亲从没想过的。没有献身于战争的父亲，终于老了。老了的父亲无可奈何地住进了干休所。

父亲在住进干休所那天，最高兴的还要数老尚、老王和老李。他们都是和父亲一起打打杀杀了大半辈子的人，他们在几年前先父亲一步住进了干休所。三个人在迎接父亲进干休所的那一刻，神情犹如失散了多年的孩娃，终于找到了自己的亲爹亲娘。

老尚说：老石哇，离了好哇。以后咱们又可以天天在一起了。

老王说：这是迟早的事。咱们革命一生，也该歇歇了。

老李说：可不是咋的，牛呀马呀的还要吃草拌料呢，何况人呢。

父亲听三个人说，自己一句话也不说。父亲不说话，三个人就不说。

老尚又说：老石哇，别想不开。我们当初来这的时候，也是长吁短叹了一阵子，最后还是觉得挺好。

老王也说：事情都是一分为二的，离了有离的好处，在职有在职的好处，不管咋样，结局都是一样的。

老李说：刀枪入库了，咱这辈子也该消停了。

老尚在职时曾当过军区的参谋长，老王当过军区的政治部主任，老李是后勤部长。也就是说，他们在位时曾是司、政、后的三个要害部门的主要领导。那时父亲是军区的副司令，他们在父亲领导下工作。此时，父亲望着昔日司、政、后的一把手们，心里有股说不清的滋味。父亲终于没好气地说：你们该干啥就干啥去吧。

老尚、老王、老李就讪讪地走了。出了门的老尚说：操，这老石还不习惯哩。老王很含蓄地笑一笑道：会习惯的，人嘛！老李也说：想当初，哥们不也是这样么。过一阵子，啥都没啥了。三个人说说笑笑地走了。

第二天一大早，父亲在该醒的时候就醒了。父亲在醒来的那一瞬间，正是部队营区吹起床号的那段时间。但是，父亲却没有听到起床号，不过他还是醒了。父亲用最快的速度穿衣戴帽，然后走出楼门。直到走出楼门，父亲才清醒过来，出现在他面前的，已不是列队整齐的军人，而是一些极自由化的老头老太们，在那里散漫地遛弯儿，聊天，打哈欠。父亲对眼前的一切很不满意。

接下来，父亲就开始跑步了。这么多年了，父亲似乎没有学会任何锻炼身体的招数，只学会跑步这一项。从十五岁参军那一天起，他就学会了跑步。跑步撤退，跑步追赶敌人，跑步攻占阵地。总之，父亲这一生是跑过来的，每天他不跑出一身透汗就不舒服，于是父亲就跑。

在自由懒散的干休所里，父亲铿锵地跑步，招惹来许多人好奇的目光。

老尚望着父亲跑步的身影就说：操，这老石，还是那德性。

父亲跑了一辈子步，早就练出了一套标准姿势，握拳，甩臂，两眼正视前方，表情雄赳赳，身体气昂昂，父亲就这么雄赳赳气昂昂地跑下去。父亲的样子和干休所的氛围格格不入，相差十万八千里。

正在练气功的老王、老李等人，见父亲这个样子，就收招换式，冲父亲喊：老石别跑了，老胳臂老腿的，折腾出毛病可不好。

父亲听到了，对老王的话不理又不睬，仍一路跑下去。老李就说：咱别管，让他跑，看他能跑到啥时辰。

父亲绕着干休所的花坛，没能跑到啥时辰，毕竟六十岁的人了。父亲跑了一气，终于停了下来。父亲吁吁地喘着，意犹未尽的样子。

老尚、老王、老李等人就围过来，意思要嘘寒问暖一番。三个人觉得，自己毕竟是过来人了，又是父亲的下级，多年养成的习惯，使他们总要不失时机地关心一番自己的上级。他们面带微笑，样子有些嬉皮笑脸，这样显得亲切自然。他们就七嘴八舌地说：老石呀，咱们都离了，就该享受生活了。人嘛，一辈子还想咋的。

父亲面对着这些散淡的人们，不知为什么就有了火气，他指着围过来的一群人道：瞅你们的样，哪还有一点军人的样子。立正！都给我站好。

老尚、老王、老李等人，在父亲的突然命令中，都下意识地站直了身子。几年的干休所生活已经让他们学会了散漫，在父亲面前，在父亲的一声命令中，散漫一下子就消失了。他们立正站在那里，望着父亲远去的身影，好半晌才回过神来。然后你望望我，我瞅瞅你，神情都有些不自然。老尚掩饰什么似的说：操，这老石，离休了，还整啥景。

老王、老李等人也尴尴尬尬地笑一笑。他们在那天早晨预感到，日子将要有所变化了。

不仅父亲一时不能适应最初离休后的日子，母亲也一时没能适应过来。早在父亲离休前，母亲就已经退休了。母亲先是在军区文工团当演员，她自从和父亲结婚后，一口气生下了林、晶、海等三个子女，就过早地告别了她热爱的舞台。后来当上了文工团的团长，再后来就退休了。这时三个孩子已先后长大成人，工作结婚，另过日子去了。退休后的母亲，一心一意地服侍着父亲。

父亲跑完步，满腹惆怅地走进家门时，母亲已做好了早饭。这个时间，正是昔日部队收操的时间。进门后父亲开始洗漱，接下来父亲坐在桌前，便开始狼吞虎咽地吃饭。父亲吃饭历来很急很快，埋下头，专心致志地吃饭。饭桌上从来不多说一句废话，为了吃饭，父亲没少和母亲发生矛盾。以前，父亲每次吃饭，母亲总在一旁唠叨：慢点，忙啥，又不是打仗。父亲不理，仍吃得飞快。时间长了，母亲的絮叨在父亲听来就有些讨厌了，他听不得自己吃饭时别人絮叨。想当年，行军打仗时，部队每次吃饭也和打仗差不多，上级一个命令，部

队立马停止前进，然后埋锅造饭，吃饭是不讲究细嚼慢
咽的，谁也说不准什么时候，冲锋号就会吹响，那时不
等你吃多吃少，饭碗一扔就要向前冲锋。父亲在战争岁
月中，学会狼吞虎咽速战速决地吃饭，滋味就不去管
了，生点熟点没什么，能填饱肚子，有劲行军打仗就
行。父亲在以后的岁月中，从来不讲究吃，他对吃惟一
的标准就是填饱肚子。这一点，他和母亲成了一对很好
的伙伴，母亲从来不会做饭，也就是说，她做了一辈子
饭，把饭做好的标准就是把米做成饭，把生菜炒熟，父
亲在这一点上，从不挑剔母亲。不管是什么，父亲总能
把饭吃得狼吞唬咽，香甜无比。

　　林、晶、海三个孩子在家时，没少为了自家饭菜的
质量难以下咽而和母亲发生矛盾。这时，父亲总要站在
母亲一边武断地说：挑啥挑，你们妈做的饭菜不错了。
想吃好的，你们就下馆子去。母亲得到了父亲的支持，
立马变得理直气壮起来，然后理直气壮地说：你们打小
就吃我的饭长这么大，有本事走出家门单过去。三个没
有长大的孩子，在父母义正辞严面前，只好忍气吞声地
吃下不愿吃的饭菜，吃得心不甘情不愿，终于吃得长硬
了翅膀，工作、结婚，另过日子去了。

　　在吃饭的问题上，弄得父亲挺窝火，弄得别人也挺
难堪。不打仗了，日子过得太平起来，人们的生活也在
一天天好起来。部队和所有的地方单位一样，免不了有
一些迎来送往、吃吃喝喝的事情。中国人都讲究个情

义，在这你来我往吃吃喝喝中，情义就在加深加厚，有了情义还有啥说的。父亲一直当着领导，人情来往时，有许多场合需要父亲出面，以表示重视和尊重别人的情义。在外面吃饭，讲究个排场和气氛，方方面面的话都说了，然后再吃再喝，吃吃喝喝中才会有内容。父亲不习惯这种有内容的吃喝，每每都是，在话还没有说完、内容还没触及时，父亲已经吃完了。他是不习惯吃饭时说话的，吃饭就是吃饭，说话就是说话，最不喜欢把话说半句留半句，喝酒、吃菜，然后再说下半句话。父亲更不喜欢说一些没有内容的话，一句话一层意思，绕着弯地说，说累了，说乏了，话还没有说到点子上。父亲觉得那样很累，很不习惯，于是父亲速战速决后，站起来的拍拍屁股，抹抹嘴说：你们吃，没啥，那我就走了。父亲每次这样很扫主客的兴，大家都挺尴尬，站直身，目送父亲走出去，表情都讪讪的。一来二去，大家也就了解了父亲，再有这种场合时，下级总要礼节性地让一让父亲，父亲就说：不就是吃饭么，我就不去了，还是回家吃得饱，吃得踏实。慢慢地，再有迎来送往吃吃喝喝这类事时，下级也就不让了，除非有些场合非父亲去不可。父亲去了也不吃饭，先说话，等吃饭了，父亲抬起屁股走人了。了解父亲的人都说：老石这个领导没啥，真的没啥，就那么个人。

父亲热爱母亲做的饭菜，他和母亲磨合了这么多年，父亲吃饭时，母亲从来不和父亲说一句话，就是有天大的事也要等父亲吃完再说，这一点很合父亲的意。

父亲吃完早饭，当他站起身的时候，他又习惯地朝写字台走去，写字台上放着那只已经磨得发亮的公文包。这只公文包跟随父亲几十年了，那还是在朝鲜战场上，父亲当师长时缴获的。他很喜欢这只牛皮公文包，便一直留到现在。吃完饭的父亲，又习惯地向那只公文包走去，昔日里，那只公文包被各类文件塞得满满的，那些文件都是等待父亲批阅的，文件里面都写着一些保密的大事情。此时那只公文包空空荡荡地等在那里，仿佛是一个受了委屈的孩子在等待父亲去安慰。当父亲伸手摸到公文包时，父亲才醒悟过来，他不再需要去上班了。那一瞬间，父亲的心里空荡而又惘然。母亲看到了父亲这一情绪上的变化，她在心里叹息了一声。父亲心情复杂地踱到窗前，他头也不回地说："把它收起来吧，以后别让我再看见。"母亲悄没声地把公文包从写字台上拿起来，走到另外一个房间。昔日的父亲，此时已经奔跑在上班的路上了。父亲当副司令时，住在家属院一幢二层小楼里，那里毗邻着有好几幢这样的小楼和小院，住着这个军区的最高首长。这里离办公区并不远，一条林荫小路，然后绕过一个花坛，再往前走几百米就是办公区了。

别的首长去办公区上班时，总是要坐车的。各位首长在自家吃饭时，司机已将车悄然停在首长家楼下了。只要首长一走出家门，小车马上启动，由警卫员拉开车门，再由警卫员递上公文包，关好车门。小车便轻盈地驶出甬路上，绕过花坛，直奔办公区。整个过程也就是三五分钟的时间。

父亲从来不坐车，而是跑着去上班。这也成了军区大院的一景。父亲走出家门时，警卫员早就在楼下等候了。父亲把公文包往警卫员手上一递，便抬脚就跑。警卫员怀抱公文包随在后面，和父亲一直保持十米左右的距离。父亲先跑在甬路，绕过花坛后，开始冲刺。也就是说，在这一过程中，父亲越跑越快，随在后面的警卫员也是越跑越快。这一奇妙的景象成了军区大院一处准时而又流动的风景。每当这时，父亲的样子不像去上班，而像是救火，或者别的什么。

每当父亲到达办公楼前，才止住脚步，等随后就到的警卫员递上公文包。然后步履轻盈地向办公楼走去。父亲忙碌的一天开始了。

此时，父亲站在干休所窗前，他心绪复杂地望着窗外。

干休所里的一切都是安静的，这种安静令父亲觉得快要窒息了。在整个上午的时间里，父亲焦灼不安地在屋里踱来踱去。副司令这一级别的将军离休后，有许多房间，父亲就在许多房间里转来转去。父亲转悠次数最多的还要数客厅。客厅的茶几上卧着一部电话，那部电话让父亲疑窦丛生。他拿起听筒，听着里面清晰的忙音，随后又把电话放下来，然后仇视地望着那部电话。电话就如处女一样，很害羞地和父亲对望着，不管父亲怎么仇视，它就是一声不吭。

昔日的父亲是多么的忙碌呀，不管是在家还是在办公室里，电话总是响个不停。那时父亲的办公室里有三部电话，家里也有三部电话。那时父亲的办公室里有三部电话一溜排开，它们响着不同的音乐铃声，召唤着父亲。父亲有时正接着电话，另外两部也响了起来。然后父亲就有些手忙脚乱的样子。他分别把电话拿起来，冲着话筒先大声地嚷：等一等呀，我一会儿就跟你说。打电话的人清楚地听见父亲忙碌的声音，就在电话那头笑。其实有许多事，本应该由父亲的秘书转接电话，然后汇报给父亲，再由父亲去处理。父亲却用不惯秘书，觉得秘书的角色有些多余。按父亲的话讲，那叫脱了裤子放屁，没那个必要。于是，不管大事小情都由父亲处理，父亲每天总是激情满怀、兴致高涨地冲电话里的人做着指示。只有这样他才觉得踏实，放心。那时，父亲是忙碌的，而忙碌中也让他体会到工作的乐趣。

没有乐趣的是父亲的秘书。父亲的秘书就坐在对面的另一间办公室里。别人都知道，一个秘书顶半个首长。按规矩，首长的所有大事小情都由秘书来安排，然后根据事情的轻重缓急，或大或小，分先后汇报给父亲，有些小事则干脆就由秘书直接去处理。于是，秘书的角色显得尤为重要。在父亲这里，情形刚好相反。秘书坐在办公室里，时刻等待着父亲的召唤。而父亲一忙起来，似乎就把秘书这个人忘了。父亲喜欢这样。当年在战场上指挥打仗时，他也很少听汇报，一定要到阵地上去走一走，看一看，然后再排兵布阵。不管战场上突然遇到什么样的情况，他都能准确及时地去处理。如果父亲不亲眼去看阵地，他就无法排兵布阵。像瞎子一样指挥打仗，那仗还有法打么？在战争岁月中养成的习惯，父亲又毫无保留地带到了和平生活中。于是军区流传一句口头禅：老石是最大的首长，也是最小的兵。意思是说，父亲可以定下军区最大的事，父亲同时也管最小的事，例如花坛该锄草了，哪个警卫站姿不标准啦等等。所以说，父亲有时又充当着班长的角色。

父亲的秘书在父亲这里得不到应有的重视，于是秘书就不心甘情愿再肯当父亲的秘书了，他躲在办公室里，挖空心思地写请调报告。报告的中心思想就是：本人才疏学浅，干不了秘书这样重要的工作，请求换一个工作环境等等。然后秘书就把请调报告送给父亲。父亲看了请调报告就乐了，他一边乐一边说：小李哇，早该这样了。像你这么有才气的年轻人整天坐在这里闲着，简直是浪费人才。于是父亲大笔一挥写下"同意"二字，秘书便调走了。离开父亲的秘书，调到其它岗位去工作，都有一种如鱼得水的感觉。父亲的秘书换得最勤，走马灯似的。父亲对这一切似乎从没有察觉，父亲一直认为秘书就是个写写字的角色，让谁干不是干哪。

每当父亲要换新秘书时，下级总要严格挑选，专挑那些机敏灵活，讲原则，工作干练的年轻人给父亲当秘书。然后拿着物色的新秘书简历来征求父亲的意见。父亲这时显得很不耐烦，大手一挥道：行，行，行，就是他。于是新秘书就来了。来了没多长时间就又走了，走的理由和前任的理由一样。

知道父亲这一切之后，就没有人愿意给父亲当秘书了。所有当过秘书的人都知道秘书的好处，跟首长时间长了，会替许多人办许多好事，这都是人情呀。有了人情，在这个世界上生存就从容自由多了。还有重要的一点就是，给首长当秘书，离首长最近，日久生情。和首长一旦有了感情，就什么都好说了，有关出路级别等等，首长都会替你考虑到前面。离开首长时，总能弄许多好处到新岗位上去工作。到了新单位也没人敢小瞧，一提到是某首长的前秘书，那就通天了，就是上级也会敬前秘书三分。所以说，给首长当秘书是一个让许多人眼热的差事。

在父亲这里，情况却正好相反。还有重要的一点父亲到死也没有悟透，那就是培养"自己的人"。一个首长在位时，免不了有恩于许多人。这些人有首长一手栽培安置，在部队苗壮成长。等首长离休了，这些人也都纷纷长成了大树。人都是有感情的，即便首长离休了，这些人还挑着大梁，前任首长有什么事说一声，那些已成大树的部下，好意思不去办么？父亲一直不知道，也不明白这其中的许多道道，他觉得所有的下级部下都是一样的，他同等待人，有过就严惩，有功就奖。直到父亲离休，父亲还不知道谁是"自己的人"，谁又不是"自己的人"。

父亲在离休后，百无聊赖地期待着电话响。电话一响起来就是有事，不管大事小事，只要有事去干，父亲就觉得日子充实。可电话就是不响，静静地卧在那里，和父亲对望着。父亲忍不住又拿起电话。他又一次清晰地听见里面的忙音，这声音也就是在明白无误地告诉父亲，电话没有坏。父亲懊恼地把电话放下，他对电话彻底失望了。

在这过程中，母亲一直很小心地望着父亲。母亲理解父亲这种落寞和不适应。以前，父亲回到家后电话是那么的多呀，卧室里、客厅里的电话会接二连三地响起。父亲接不过来时，母亲就代劳了。父亲讲完这一部，又急如火星地奔向下一部，似救火，似打仗。于是，父亲和母亲似走马灯般在有电话的房间里交替穿梭，形成了一副忙碌的景象。如今，这一切都已远去了。以前的一切，恍然如一场梦。梦醒了，一切都恢复到了本来的面目。

父亲在期待中，终于失去了信心。他倚在卧室的沙发上打了个盹，他不知道是睡着了，还是醒着。总之，他听见电话铃声。他一下子跃了起来，三步并作两步地向客厅跑去，惊得母亲诧异地看着他。父亲说：电话响了。

当父亲拿起电话时，里面仍然是一片忙音。父亲生气地挂断电话，冲母亲喊：为啥不接电话。

母亲不解地说：电话没响呀。

父亲：响了。我明明听见电话响了。母亲就不说什么了，她知道父亲一准是癔症了。

父亲就不满地说：连电话都不接，你闲在家里干啥？

母亲听了父亲的话，真的觉得委屈了。她把自己的青春乃至后半生，都给了父亲。父亲此时却怪母亲闲在家里没用，母亲感到前所未有的委屈。父亲发完火，便平静了一些，他似乎是很大度地冲母亲挥了挥手道：算了，算了，不和你计较了。

每次父亲发完火，不管是他对，还是母亲对，他总是摆出一副高姿态，大人不计小人过的样子。他没脾气了，可是母亲呢，母亲只能把满腹委屈装在心里，怨怨艾艾地望一眼父亲。她一切都已经习惯了，只要父亲平息了，她也就啥都没啥了。

正在这时，电话突然响了起来。突然而至的电话铃声，让父亲和母亲都浑身一紧。父亲有些不信任地望着电话，等他确信果然是电话铃声响起时，他有些激动，又有些迫不及待地抓起了电话。父亲冲电话里感激地喂了一声。电话是老尚打来的。老尚在电话里粗声大气地说：老石呀，过来下棋吧。咱们老四野的人都败在二野人面前了。你过来给咱们老四野争口气吧。

父亲万没有料到电话会是老尚打来的，又说什么下棋，还说四野下不过二野的等等。父亲从内心里关心的不是这些鸡毛蒜皮的小事，他关心的是军区里那些大事，例如某集团军演习、排兵布阵等等。他可不关心下一盘棋，谁输谁赢。父亲生气了，他冲电话里的老尚说：我没工夫。你们爱咋下就咋下。说完恶狠狠地放下电话，然后，坐在那里生闷气。

半晌，母亲嗫嚅地说：老石，要不你就下楼散散心。

我不去！父亲咆哮着喊了一声。

父亲在离休后起初的日子里，感到前所未有的空虚和落寞，他坐卧不宁，忐忑不安。于是，父亲就如同困兽似的背着手，从这屋走到那屋，然后又从那屋走到另外一个房间，父亲的脚步显得凌乱而又拖沓。父亲的血压高，说不准什么时候就高一下子。母亲不放心，不管父亲来到哪屋，母亲都跟在后面以防不测。母亲大气不敢出，样子似受气的小媳妇。虽然母亲这样，还是影响了父亲，其实不管影不影响，父亲总是要发火的。父亲心情不顺，总要无端地发火，家里又没别人，父亲只能冲小媳妇似的母亲发火。父亲突然立住脚，这一动作，吓了母亲一跳，她正全神贯注地随在父亲身后，拿出一副随时准备抢救的架势。父亲一见母亲这样便气不打一处来。父亲朝母亲吼：跟着我干啥，我又不是小偷。

母亲辩白：老石呀，我没跟着你。我是怕你的病。

父亲：我的病咋的了，我这不是好好的么。别说活十年，二十年也没问题。老在家呆着还不得把人憋死。

母亲就忧郁地望着父亲，她真怕父亲憋出什么毛病来。母亲搓着手，一副不知所措的样子。

父亲长叹一声，几步来到客厅，又一屁股坐在沙发上。他抬眼望着窗外，此时的窗外太阳普照，一派风和日丽的景象。窗外的树上落着两只鸟，不知深浅地鸣唱着。父亲想起了在办公室时，他那宽大的办公室窗外，也有一片茂盛的树疯长着，树上也经常落着鸟，经常高高低低地唱。那时父亲的心情是愉悦的，累了的父亲，时常伸个懒腰，踱到窗前，逗树上的鸟玩儿。那时，父亲的日子是多么的充实呀。此时，父亲已完全没有了昔日的宁静和平和。他奋力地挥舞双臂冲树上的鸟吼：滚，再叫老子毙了你们。

这是父亲的一句口头禅，父亲这句口头禅已经说了有好多年了。他当连长时就轻车熟路地说这句话了，父亲说：冲上去，把小日本拼掉！拼不掉小日本，老子就毙了你们。父亲当团长时说：一营长，限你半小时之内，把高地给我拿下来！拿不下高地老子毙了你。师长时父亲仍说：老子毙了你。军长时父亲仍说：老子毙了你。父亲已经"毙"了许多年了。

在林、晶、海还小的时候，三个孩子经常在家里闹得鸡犬不宁。那时的孩子没什么好游戏的，只是一味的疯闹。一会林推倒了晶，又一会晶咬了林的耳朵，吱吱哇哇的，永无宁日的样子。父亲不在家里，任他们疯闹。一旦父亲回来时，却无法忍受他们的疯闹了。孩子们管不住自己的天性，仍疯仍闹，父亲就吼：都住嘴，再吵再哭，老子就毙了你们。孩子们起初不怕，待父亲真的掏出手枪，把乌黑幽深的枪口对准他们时，他们都害怕了。因为他们都见识过，父亲用手枪打死过狍子。那是父亲星期天带他们去山里狩猎的结果。父亲一枪能打死一只狍子，难道一枪就毙不了他们么？孩子们果然害怕了，在以后的日子里，只要父亲在家，他们个个都噤若寒蝉，从不敢大声说话，就连他们玩闹时，也是把拇指和食指比画成枪的模样，意思是相互提醒，不老实毙了你。三个孩子一直到长大成人，心里仍惧怕着父亲。那时，父亲也很忙，没工夫和孩子们扯那些没用的东西。父亲一直认为和孩子感情上的交流是没用的东西。很自然，三个孩子的大事小情都和母亲说，三个孩子离母亲近，离父亲远。父亲不在乎这些，那时父亲就是父亲，哪有工夫和一群孩子们说长论短。父亲在没离休前，三个也很少登门，即便登门，也是来看望母亲。他们每次来，父亲有十八九不在家，他有很多事情等他忙。那日子，父亲觉得孩子也就那么回事，把他们养大了，尽一份责任而已。

　　此时，父亲却第一次想起了他的三个孩子。三个孩

子长大成人后，父亲都毫无例外地让他们参了军。在父
亲的观念里，龙生龙凤生凤，老鼠生儿会打洞。自己是
军人，孩子自然也是军人，于是，三个孩子别无选择地
都参了军。父亲在军区当着副司令，在家里自然也说一
不二。违背父亲的意愿，决没有好下场。父亲最小的儿
子海就曾试图违抗过父亲一次。海的性情不像母亲也不
像父亲，海自小就有些多愁善感。上中学时，海总爱写
写画画，总爱独自一人琢磨些事，经常被一片落叶、一
泓秋水弄得神经兮兮，眼泪汪汪，因此，父亲很不待见
海。只要他看见海，总是鼻子不是鼻子，脸不脸的，经
常咬牙切齿地说：没出息个东西，老子咋养了你这么个
没出息的虫。他一直称海是虫。父亲发誓，只要海中学
一毕业，就把他送到海岛部队经风雨见世面去。虽然如
此，海却有自己的主意。海在上初中时，爱上了画画。
快高中毕业时，海的画已经很有一些模样了。海誓死不
想当兵，虽然海自小生活在军队大院里，起床号声让他
睁开眼睛，熄灯号声让他闭上眼睛，父母又都是军人，
可他对军人这一职业却没什么好感。总之，他和军人格
格不入。毕业那一年，他知道，自己不力争一下，自己
的命运一定会和哥哥姐姐一样，被强行着送到部队。所
以，在即将毕业前夕，他报名参加了市文化馆举办的一
个绘画写生班，去了外地的深山老林。海走的时候告诉
了母亲，母亲除塞给海一些钱外，对这一结果，心里一
点底也没有。果然，父亲发现海"逃"了，大骂了一通

母亲后，派出侦察连几个战士分头去寻找海的行踪。训练有素的侦察战士没几天就发现海的行踪，并把这一结果报告给了父亲。父亲又派一名侦察排长带一名战士火速把海抓回来。几天后，海果然被送到了海岛连队，当上了一名守岛兵。那是个孤岛，与外界差不多完全隔绝，只有交通船，十天半月的上一次孤岛，给那里的兵送去供给和淡水。海这次真是插翅难逃了。然而海最终还是逃了一次。那一次海差点被父亲打个半死，要不是母亲跪下来求父亲，海不皮开肉绽，也得在床上躺个十天半月。

世上有许多事是无法讲清的，后来随着形势的变化，林和晶先后转业到了地方，惟有海留在了部队。他早就不在海岛上了，军校毕业后，他先是当排长，后来是连长，现在他已经是副团职作战参谋了。工作地点，就是在父亲工作过的军区办公楼里。

父亲在此时此刻，第一次想起自己的三个孩子。他转过头冲母亲说：三个孩子好久不来了吧。

母亲不解地望着父亲，样子显得惶惑而又谨慎，她不知父亲又是哪根神经搭错了地方。

父亲说：让他们来吧，热闹热闹。

这是父亲第一次说这样极具人情味的话。为了这句话，母亲差点感动得流下泪来，母亲哽咽地说：老石呀，那你就打个电话吧。

你打，你打，还是你打。父亲此时的神情显得有些羞涩。他不是不想打，是还没学会给孩子打电话，不知在电话里该冲孩子们说点什么。更主要的是，他不知道孩子们家里的电话号码。父亲红头涨脸地把电话推给母亲，于是母亲就用一双激动得发颤的手拨打电话。

林、晶、海三个孩子，在差不多同一时刻里，接到母亲的电话。母亲在电话里的意思明了而又简单，那就是：晚上有时间的话回来一趟。三个孩子接到母亲这样的邀请还是头一次。以前都是三个孩子主动来电话，每次来电话大都是母亲接，孩子们在电话那端说，母亲在这边答。父亲在时，母亲从来不多和孩子们说什么，因为从母亲嘴里永远说不出什么大事和正经事来，母亲总是一味地冲孩子们说：天凉了，多穿点衣报；让孙子孙女们不要受冻；吃得好不好；家里最近又有什么变化之类的话。父亲每次都满脸的不高兴，认为母亲这些话纯属多余。按父亲的话是母亲的这些话很不着调，太婆婆妈妈了。母亲每次说这些时，父亲在一旁挥着手说：得了，没啥事就把电话放下，别扯那些没用的。父亲一直都认为母亲的话是没用的。所以每次母亲给孩子们打电话总是很简洁，这也成了母亲的习惯了。

母亲主动请三个孩子一同来家里，这还是有史以来的第一次。三个孩子不知家里发生了什么事，天不黑便来了。

孩子们答应了，母亲自然是皆大欢喜，放下电话后，就兴高采烈地到菜市场去了一趟，买回很多东西。父亲历来对吃是无所谓的，但他同时也显得有几分激动和不安，背着手在几个房间里踱来踱去，也不时地来到厨房门口和正在择菜的母亲说上两句。父亲说：咱那几个孙子、孙女都长大些了吧。在这之前，这些话题都是父亲不足挂齿的。母亲在父亲话题的鼓舞下显得激动无比和语无伦次起来。她先说了林的儿也就是他们的大孙子琳琳，已经上初中了；又说到晶的女儿，他们的外孙女淼淼已经上小学四年级了；还说到海的儿子，他们的小孙子小岛也快幼儿园毕业了。母亲在历数孙子外孙女的时候，话题是喋喋不休的，眉宇间洋溢着幸福和自豪。父亲破天荒地没有打断母亲的话茬，他不住地点头，似在听下级汇报什么大事。他听得很认真，其间不住地点头，表情上看得出父亲是满意的。父亲心里很没底，也很没经验地问：今天他们都能来吧？母亲停止了择菜，思索了片刻说：这不好说，孩子们功课都忙，要是周末还差不多。

父亲听了母亲的话，便来到书房，在日历牌上翻到周末，在周末那一页很重地画了一个圈。

傍晚临近的时候，父亲显得很不安，他在不停地照镜子，同时不停地梳理自己的头发。父亲的头发一直很好，六十岁的人了，只有鬓边出现了一些零星的白发。父亲对自己的头发一直很在意，头发是年龄的标志，父亲在离休前很愿意听到别人赞美他的身体和头发。父亲身体很好，头发也没什么问题，但他还是在满六十那一年光荣地离休了，这是父亲很不情愿、也无可奈何的事情。

孩子们上楼的脚步声响起时，父亲正稳稳地坐在沙发上。他在办公室或家里接见下级或别的什么人时，总是稳稳地坐在沙发上，看手头上的文件时连眼皮也不抬一下。起初一直那么坐着，他以为自己也会那么一直坐下去。当母亲乐颠颠去开门时，父亲再也坐不住了。他站了起来，向门口走了两步。父亲的神情显得有些不知所措，然而父亲的身体已不由自主地站在了门口，摆出一副恭迎的样子。门开了，林、晶、海站在了门口。他们接到母亲的电话后，一下午都心怀忐忑。他们相互通了气，一致认为家里发生了什么事，决定用最快的时间，轻装上阵。当他们进屋时，看到母亲、父亲一切都安好如初，他们都松了口气，但他们仍然显得惶惑之至，他们从来还没见过父亲立在门口的样子。

林首先叫了一声：爸、妈。

母亲答了，父亲也答了。他一时不知如何面对三个孩子，竟伸出了自己的右手，摆出一副要和孩子们握手的架势。这大出走在最前面林的想像，林一时不知如何是好，犹豫着还是把手伸了过来，别别扭扭地和父亲握了手。晶毕竟是女儿，和父亲的隔膜少一些，也心细一些，晶就说：在家里握什么手呀，又不是外人。和林握完手，父亲也觉出了不妥，晶这么说完，父亲就挥挥手道：是呀，是呀。那你们就都坐吧。

走在后面的海，仍穿着一身军装，他习惯地冲父亲敬了个礼。这是父亲所习惯的，也是容易接受的，于是父亲也习惯地向海还了礼。在军区大院，下级遇到上级总是要敬礼的，海也不例外。他每次遇到父亲，总是要敬礼的。办公区内，没有父子，只有上下级，海向父亲敬礼，父亲还礼，一切都公事公办，也从来不多说一句话。海最后能从小岛上调到军区机关工作，和父亲一点关系也没有。海调到军区几天之后，在办公楼里父亲才碰到海。他看了一眼海，又看了眼海之后，诧异地问：咦，你怎么到这来了？海立正报告道：报告副司令，作战部调我来机关工作，上班已经一个星期了。父亲愣了一下，点点头，走了。

海调回来时，母亲是知道的。海征求过母亲的意见，要不要告诉父亲。母亲说：就不要告诉他了，等过一阵再说吧。母亲是了解父亲的，他不希望自己的孩子在条件好的地方工作，他认为那样是没出息的。林、晶当兵时，也一直在偏僻的条件艰苦的守备师工作，直到转业。海当年在小岛上实在忍受不住那份清苦了，在一次送给养的船上岛时，海偷偷地钻到货舱里跑了回来。海没处躲藏，回到家里向母亲求救，希望通过母亲说服父亲把他调到条件稍好一点的部队去工作。没料到父亲不仅没有答应，反而暴打了一顿海，要不是母亲及时跪在父亲面前，海那一次会被打个半死。后来还是让侦察连的排长把海送回了海岛，父亲才作罢。海最后考上了军校，毕业后又回到了海岛上。直到前一阵，军区作战部需要年轻干部，到部队挑人，选中了海，海才有幸调到机关工作。不知为什么，那次，父亲没再下令把海送到什么艰苦的环境当中去。于是海才得以在机关一直工作到现在。

海一身戎装地出现在父亲面前，父亲从来也未觉得看海这么顺眼和亲切。他还完礼之后，竟伸出手在海的肩膀上拍了一下。海受宠若惊地冲父亲咧了咧嘴。

家里没什么不能没有女儿，晶看到父亲、林、海三个男人无话可说时，她首先打破了这种僵局。她给三个男人倒上茶之后，便跑到厨房和母亲说话去了。晶的声音有意说得很大，和母亲说的内容无非是女人最热衷的：什么菜价贵啦，什么好吃不好吃之类。晶和母亲的声音感染了客厅里的三个男人。

林首先说：你离休了，没事了，干点自己爱干的事吧。清静下来也好。

这话父亲不怎么爱听。父亲最热爱的当然是军人生活，看着自己部队演习时的滚滚征尘，他激动豪迈，这就是他愿意干的事。现在这些东西都远离他而去了，他还有什么愿意干的事呢？

父亲不说话，用手拍着沙发。

海说：爸，有空你常到部队转转，部队还需要你这样的老首长常去指点。

海的话说中了父亲的要害，他高兴了。于是询问某集团军演习的事准备得怎么样了，某国防工程的进度如何了，等等。海都一一地做了汇报。父亲一边拍着沙发，一边说出了一、二、三等注意事项。海一边听一边点头。

林对这些不感兴趣，虽然他也曾当过军人，但毕竟离开部队已有些年头了，旧话重提，一副往事不堪回首的样子。他看着空空荡荡的客厅，像冲父亲说：爸，你喜欢养鱼还是养鸟，你爱好什么，赶明我帮你置办起来。

父亲不悦的样子，使林停住了话头。父亲说：爱养你养，我不养那些玩意儿。

林仍不识时务地说：爸，你说你爱干什么。你说，我能办到的我一定帮你办。

林的话一点也不夸张，林现在已经是房地产开发公司的经理了，林要钱有钱要权有权。

父亲似乎认真琢磨了林的话，终于没想出喜欢什么，半晌父亲不耐烦地摇摇头。

海说：要不赶明儿，我把作战部一些国防工程的有关材料拿来，看还有需要什么补充和完善，希望听听您的意见。

海还没说完，父亲就拍着大腿说：好，就这么办。

父亲对那些重大工程有感情，当年就是他自己指挥这些工程上马的。那是多么激动人心的岁月呀。其实海说的这些话，完全是想让父亲在离休后找点事干。那些工程有的早就完成了，有的早就因为不适应现代战争的需要而下马了。也就是说，那些材料和地图都是一些废纸了，没什么价值了。按理说父亲也知道这些内情，但他听了海的话，还是显得很受用。

不一会儿，晶就帮助母亲把饭做好了，然后一家人就围在一起吃。这次父亲破天荒地没有把饭吃得那么快，而是和大家一道饶有兴趣地把饭吃下去。这顿饭是晶做的，自然比母亲做的质量高出几截，没有人对晶的菜提出质疑和批评。在这期间，林的手机响了两次，父亲就指示说：在家里你把那玩意儿关了。林就关了手机，腰间的呼机一直震动，林也没有敢当着父亲的面看一眼。

总之，这次家庭聚会很成功。

父亲最后指示：星期日，都过来聚一聚，把孩子们都带来呀。

三个孩子喏喏点头。

然后就散了。客厅里又空荡冷清下来，父亲心里踏实多了，他第一次坐在沙发里和母亲饶有兴致地看了一部电视剧。

干休所每个月都要组织一次体检，体检的地点是军区总院老干部体检站。体检站里的医生都很有权威，也很负责，每次检查差不多都能发现一两位老干部身体这样或那样了，有病的老干部便住院了，有的从医院里又活蹦乱跳地走出来，有的便再也没有走出来。因此，每个月身体检查，对老干部们来说，日子都显得有些别样。一大早，西院干休所门口便停了一辆大巴，西院是师级干部住的院落，那里人多，按规定离休后就没有专车了。东院住的都是军级以上干部，离休后仍有专车的待遇。一大早，各家门前的车便停好了，一切都整装待发的样子。

父亲的车那天清早也悄然开到了楼下。父亲不知道这些，仍围着花坛在一圈圈跑步。父亲跑步的姿势绝对不是四平八稳，而是一副冲锋架势，每个动作都充满了动感，这是父亲当年打仗夺阵地时练出来的，到了老年仍然改不过来。

父亲用冲锋陷阵的姿势正在跑步，老尚、老王、老李等人，从各自家中走出来，端着保温杯，样子似乎不是去检查身体，而是去开什么会。老尚见了父亲就道：老石别跑了，检查身体去吧。

父亲立住脚好奇地打量着这几个人，父亲说：我没病检查什么身体。说完父亲又跑，为了证明自己身体很好，父亲还竭尽全力地冲刺了一段距离。几个人就羡慕地看着父亲冲锋陷阵的身影，然后坐上车，忐忑不安地去了医院。父亲来到自家门前时，看见了停在门前的车，他有些陌生地看着那辆奥迪车。司机小崔见父亲走过来，礼貌地叫了声：首长。父亲看见了小崔才想起眼前这辆奥迪车是配发给自己的那辆。父亲就不解地问：你来这里干啥？小崔忙说：首长，今天是检查身体的日子呀。父亲不耐烦地挥挥手道：我不检查身体，你回去该干啥就干啥吧。小崔还想说什么，又没敢，犹豫地关上车门把车开走了。

父亲很不喜欢坐车。当年行军打仗时，父亲一直骑马。后来部队进城后，父亲仍然骑了一段时间的马，才换成了苏式吉普。父亲很讨厌这些烧油的家伙，父亲一坐车头就晕，等下了车东南西北都分不清了，似醉了酒。再后来吉普车换成了伏尔加，还是不行，又后来换成了"上海"，也是不行，到最后奥迪也不行。因此父亲对轿车很是没有感情。他不仅上班不坐车，就是到附近部队检查工作他也是走着去走着回。若是到远一些的地方去，没办法父亲不得不坐车时，他总要在上车前，吃几粒安定，按他自己的话讲：得把自己整着喽。父亲一上车就睡，到了目的地后，逃也似的离开车，看也不多看一眼。因此，父亲对自己的专车很陌生。

父亲自己不喜欢车，也不许母亲喜欢车。按规定，配了专车的首长，不仅自己可以用车，家里人也可以用车。为首长服务嘛，家庭服务好了，少分首长神，同样也是为首长服务。因此，某首长的专车，经常坐着首长家人，一趟趟在军区门前的大街小巷里奔忙，惟独见不到母亲的影子。母亲曾坐过一次父亲的专车。那时母亲还没退休，有一天腰扭了，文工团其他人打电话向车队要车，准备送母亲去医院。不巧，车队的车都派走了。母亲这才想起父亲的专车，然后打电话要来了专车。母亲从医院回来时，正赶上父亲下班回家。看见母亲捂着腰走出来，父亲就一脸不高兴地质问母亲：谁让你坐我的车了。母亲解释道：我们车队没车了？要是有车，我才不会坐你的车。父亲不通人情地说：这是工作用车，以后你不许动。母亲觉得委屈，但还是说：别的首长的车也不都是首长一人坐。父亲道：别人是别人，我是我。

为这件事，父亲一连几天没理母亲。母亲果然长记性，从那以后，再也没坐过父亲的专车。实在逼急了，她就出门打车。不知父亲真的对车没有感情还是原则性强，他不喜欢轿车，同时也不喜欢母亲碰车。

父亲的司机和他的秘书一样，来的来去的去。其他首长的司机，给首长开了几年车后，都很有出息。这事也很自然，围着首长跑前忙后的。人嘛都是有感情的，首长也不例外。首长一旦对自己身边的工作人员有了感情，那一切事情都好办了。先是入党，然后送到军校去学习，以后自然提干晋级。于是能给首长开车，成了战士们争先恐后的一份美差。这一切都是别的首长的事，惟独没人愿意争抢给父亲开车。有几任司机，名义上给父亲开了几年车，最后父亲连人家的名字也叫不出，别说给司机办什么事了。司机小崔的前任小李，曾主动上门找过父亲。那次父亲以为小李走错门了，差点没把小李轰出去，那一次司机小李委屈得差点流出泪来。可想而知，小李自然什么也没得到，当满四年兵后复员了。

父亲对自己的司机很陌生，对自己的勤务员兼警卫员却都很喜欢。为首长选来的勤务员都很机灵，也很有文化，自然都很可父亲的意。在战争年代，一个警卫员是首长的半条命，这话一点也不过。在朝鲜战场时，父亲的警卫员小吴救了父亲的命，自己却永远地离开了父亲。这么多年了，父亲一直没有忘记小吴，每年的清明节，父亲总要手捧鲜花来到烈士陵园，站在烈士纪念碑下默哀几分钟。待父亲抬起头时，已是满眼的泪光了。父亲临离开前，总要轻声道：小吴哇，老石来看你啦。然后，父亲一步三回头地走了。

父亲的勤务员，在和平年代里，不能再随父亲出生入死了。但他们都能随父亲跑步，在工作之外的时间里，父亲的身影出现在哪里，他们的身影就出现在哪里。他们不仅随父亲跑步，还和父亲一起种地。父亲家楼下，原来是一片种满鲜花的土地，后来那些花都被父亲拔了，种上了茄子、西红柿之类的东西。当然这里面也有父亲警卫员们的一份功劳，只要父亲做的，他们不管对错，一点也不打折扣地去做。为这事，司令部管理处长大伤脑筋。他组织战士们煞费苦心地为首长服务，为首长提供一个赏心悦目的花地。没想到的是，花地却变成了菜地，整日弄得臭烘烘的。在父亲的感召下，许多首长门前的花地都变成了菜地，成了首长家门前一道独特的风景。父亲尤其喜爱会种地的警卫员，常夸他们没忘本。父亲的警卫员了解父亲的脾性，当父亲探问他们出身时，他们毫不犹豫地答：农民。于是，父亲就愈加喜爱地眯着眼看着警卫员说：农民好哇，毛主席就是农民。再次说到这时，总要补充一句：我也是农民。

父亲经常和警卫员说的话就是：农民好，咱们农民不忘本。

其实父亲的警卫员大都是城里生城里长的学生兵。父亲和自己的警卫员有了感情之后，警卫员们自然都很有出息，入党、提干，干得都很风光。父亲没忘记他们，他们也没忘记父亲。不管以后到了什么地方，是否还在部队工作，年呀节的，他们从来不忘给父亲打一个电话。然后父亲和昔日的警卫员谈笑风生，一同回忆把花地变菜地的美好时光。父亲仍说：农民好哇，农民不忘本。昔日的警卫员在电话那端也笑着说：农民好。

不知为什么，离休后的父亲经常变得多愁善感起来。

干休所自然都是老人的世界，围绕着老人便有了许多新闻。每个月检查完身体，差不多都有一个老人住进了医院。过了一阵便有消息传来，某某老首长不行了。又过几日，干休所门前的通知板上便会写出一条参加某某追悼会的通知。

通知刚一写出，小黑板前便聚满了人。通知写得简单而又扼要，内容千篇一律，无非是某某追悼会定于某日召开。就这几个再明白不过的字，会牵动许多老首长的目光在那条通知上停留。他们看一遍，又看了一遍，然后三三两两地聚在一起，话题自然说的是某某。有人就说：某某是个好人哪，百团大战时我们就在一起。另一个说，可不是，在朝鲜时，他是团长，我是政委，风风雨雨一辈子了。唉，人哪。

人似乎活到这个份儿上了，才活明白活透了。

父亲没离休前，也经常参加某某的追悼会。每次参加追悼会都会勾起父亲的一段回忆，某某也许是父亲过去的首长，后来又变成了下级。不管怎么说，都是父亲生死与共的战友，每个战友都有不同寻常的生死经历。那时父亲很忙。在哀乐声中，他想起了一幕幕往事，眼泪涌满了他的眼眶。当他走出追悼会现场，面对阳光灿烂的真实世界时，他抹去了眼泪。当他一走进办公室，面对或大或小杂乱的公务时，他已经彻底地忘记了哀伤，全身心地投入到了工作中。

干休所的日子，使父亲的性情大变。他每次参加某某战友的追悼会，情绪几天也走不出来。他时常站在窗前发呆，一次又一次絮叨和逝者在一起的战斗岁月。父亲的记忆很清晰，几十年前的某个细节到现在仍然记忆犹新。下雪的夜晚里他们在急行军，某某走着路便睡着了，撞在一棵树上，某某冲着树道歉等等。父亲向母亲絮叨这些时，满眼都充满了亲情，声音感伤，而又怀念。

母亲这时一言不发，和父亲一起沉浸在对往事的回忆中。父亲就说：唉——这日子太快了，就跟昨天似的。母亲也叹口气。

这时父亲又想起了老家那片坟地，那里葬着父亲所有逝去的亲人们。在父亲记忆里，那里是永远的山清水秀，山下是一条默默流淌的山溪，山上树木葱郁，绿草如茵。母亲曾随父亲回过老家，按照家乡的风俗，父亲到老家的坟地悼念过。在母亲的记忆里，老家的坟地和父亲的记忆相差遥远。母亲去时，山下那条小溪已经断流了，昔日葱茏的树木已被砍伐得面目全非了。父亲的记忆永远停留在他少小离家的记忆里。母亲依旧不说什么，任凭父亲在那里充满亲情地回忆。

在悼念战友时，父亲想起了家乡，想起了老家那片坟地。离休后的父亲，叶落归根的想法强烈了起来。

父亲离休之后，母亲的身体和情绪莫名其妙地滋润起来。这是她一生当中，和父亲厮守在一起时间最长的一段日子。

母亲嫁给父亲，那时全国刚刚解放。林出生不久，父亲就去了朝鲜战场。一晃几年过去了，父亲回国后，职务得到了晋升，日子又忙了起来。他很少有时间在家，那时母亲也忙，她一面照料林和晶，一边还要到文工团上班。那时，她还是一名歌唱演员，如火如荼的全国大好形势需要搞许多的庆祝活动，母亲所在的文工团便整日里忙于庆祝活动的演出。有时父亲和母亲一天也碰不上一次面，只有晚上的时候，他们才能匆匆地看上对方一眼。都很累了，似乎都来不及多说一句话，转头便睡了。早晨的一切更是忙乱，父亲有时在家吃上一口，有时不吃，匆匆地又走了。后来海又出生了，母亲便更忙了。

就是孩子大了，母亲退休了，父亲也没有时间陪母亲。父亲依旧回来得很晚，因为他在外面有许多事情要办。回来的父亲第一件事就是到厨房里找吃的，父亲在外面永远吃不饱，他只有吃母亲的饭菜，他才踏实、香甜。母亲总要为父亲留饭留菜，放在锅里热着，一会儿热一次，一会儿又热一次，直到父亲回来。吃完饭的父亲便开始忙于接电话，只要父亲一到家，电话马上就会响起来，有时三部电话同时响，母亲便成了接线员。待电话声音平息，夜已经深了，父亲哑着声音说：睡吧。便和母亲双双地躺下了。父亲的睡眠很好，说睡便真睡，一点也不含糊，他只要头一挨枕头，鼾声便起，天摇地动。年轻时就这样。起初，这是母亲无法忍受的，她弄得整夜整夜的睡不着。后来就习惯了，要是偶尔父亲出差，没有了鼾声陪伴，她会整夜失眠。

后来母亲养成了习惯，不管父亲多晚回家，母亲总要等待父亲，她不等也没有办法，因为没有父亲的鼾声她无法入眠。只有父亲的鼾声响起时，她心里才踏实。

父亲离休以后，他们的生活有了规律。吃完晚饭半个小时之后，父亲照例要出去跑步，母亲这时总要相跟着。父亲跑步，同时也鼓励母亲跑。母亲见左右无人，便也试着跟父亲跑几步。没跑出十米远，母亲便被落下了。母亲喘着气说：老石，你等等我呀。父亲不等母亲，腾腾迈着大步跑远了。好在一会儿工夫，父亲又从母亲身后出现了。路是圆的，父亲又回到母亲身边。父亲直到跑得浑身是汗才停下脚步，畅快地回来，然后打开水龙头，哗哗啦啦地冲洗。母亲这时把电视打开了，茶泡上了，水果也洗了，就等父亲坐在母亲身边看电视了。父亲看电视时，只关心新闻，什么国内国外的大事。父亲尤其关心有关时事新闻，美国经常派兵，不是这就是那，一会儿打，一会儿又不打。总之，哪里有战争哪里就有美国大兵出现，父亲就生气，父亲骂：龟孙子。

　　新闻之后，便是母亲喜欢的电视剧了。父亲对电视剧的那些男欢女爱凡人琐事不感兴趣，他永远也看不明白，经常把剧情弄得面目全非。母亲这时就要给父亲当讲解员。母亲乐此不疲，母亲讲得声情并茂。在这里母亲是有创造的，她把自己的人生理解和生活感悟都倾注到了自己的讲解中。有时母亲自己把自己感动得鼻涕一把泪一把的。母亲希望自己这一感召，能唤醒父亲对电视剧的热爱，母亲错了。父亲眼里看着电视，耳朵却在倾听电话铃声。电话长久地沉默着，好在父亲已经适应了这种沉默。不一会儿，父亲歪着头，粗粗细细地扯起了鼾声。母亲瞅着电视剧，在父亲鼾声伴奏下也睡着了。不知过了多久，他们又同时醒了，你看看我，我看看你，再一起瞅电视，电视里早就换成了另外一部没头没尾的电视剧了。然后父亲说：睡觉去吧。母亲便起身去关电视，然后两人就睡下了。

　　不管父亲情愿不情愿，他还是适应了离休后的生活。离休以后的父亲，觉得时间一下子漫长无比了。早饭以后，父亲无论如何无法在屋里呆下去了，便背着手踱到院子里。有几个遛鸟的老干部，在几棵树下逗鸟玩，看见了父亲便说：老石呀，过来看看鸟吧。父亲碍于情面便走过去，看几眼笼子里的鸟。鸟儿们都很通俗，大都是"百灵"、"画眉"之类。父亲家乡的山里多的是，父亲感到一点也不新鲜。父亲的目光从鸟身上移开，和过去的那些老部下扯一些天高云淡的话，父亲便离开了。

　　父亲走到花坛的凉亭下，老尚、老王、老李等人围在一起，正和另外一伙人吵吵嚷嚷地下棋，样子认真而又热烈。父亲在人群外看了一会儿，没看出什么名堂，便咳了一声，众人回过头，便看见了父亲，老尚就说：老石呀，来来来，杀一盘吧。二野这帮人太狂了，咱们四野都输两盘了。

　　坐在棋盘对面那几个老首长就说：你们四野的不行，棋太臭。

父亲直到这时才发现对面坐着的都是二野的人。解放以后，二野和四野的一部分人便合并在了一起，组成了现在的军区。虽说都是一个战壕里的战友，但感情上说还是有些不一样的。这些出生入死的人都怀旧，在一起并肩打过仗和没打过仗感情肯定不一样。这么多年过去了，二野的人和四野的人，无形中总有些区分，在外表是看不出来的，但感情上是分得很清的。大家都在职时，工作中分不出你我，不都是工作嘛，但离休以后，这种区别就显示了出来。二野的人总爱在一起聊天，叨那些陈芝麻烂谷子的往事。四野的人也聊，他们经历不同，就有了不同的故事和感受。话是陈年的香，感情是旧年的纯。离休之后二野和四野的老首长们，从情感到行为便有了区别。经常聚在一起谈论各自战役的辉煌，谈来说去终不能分出伯仲，也就是平分秋色，谁也不服谁，吵来争去便来到棋盘旁。其中就有一方说：来来，不服就下一盘，谁服谁呀。说来就来，抡胳膊挽袖子，跟真的似的。你来我往，互有胜负，分不出输赢就又下，争争夺夺间，就有了日子。渐渐地就有规律，只要白天没事，二野和四野两拨人马便聚到凉亭下，吵吵嚷嚷地下棋。

父亲的到来，给四野的人带来了一缕希望。父亲没退休前就爱下两盘棋，军人嘛，在没有战争的日子里，总爱把楚河汉界当一方战场，你来我往地拼杀一番，以了英雄梦。

老尚、老王、老李这些老四野的人把父亲簇拥到棋盘旁。父亲看着对面二野人那些不服气的架势便说：四野和二野开战？

老尚就在一旁怂恿：开战，开战。咱们四野都输了两盘了。

父亲听到这，成竹在胸地笑一笑，然后慢条斯理地摆棋。老尚、老王、老李等人甘愿退到父亲身后，为父亲擂鼓助威。父亲每走一步，显得成竹在胸，又很民主，先听前参谋长老尚的意见，然后再听政治部主任老王的意见，最后听后勤部长老李的意见。司、政、后的意见都听完了，父亲再走棋。有时父亲采纳他们一个人或者几个人的意见，有时不采纳，走自己想走的棋路。也有时，他们的意见是一致的。每走一步，司、政、后都一致叫好，然后虎视眈眈地冲着对面二野那帮人道：该你们了，走哇！不行了吧。

两拨人，吵吵嚷嚷地把一盘棋下出了许多内容。有时父亲这面赢，有时输，不管输的赢的，都没有罢休的意思。父亲在小小棋盘上终于找到了寄托，那时他竟觉得离休的生活也不错。父亲紧锁着的眉头终于舒展了一些。

随着父亲渐渐地习惯了离休生活之后，他便了解了许多他在职时不曾了解的内容。那一次，干休所分萝卜。干休所的日子和分东西紧密地联系在了一起，干休所隔三差五的总要分些东西。每家六个萝卜都已经分好，战士们挨家挨户要亲自送到门上。父亲不让送，他站在自家六个萝卜前，他要先吃为快。萝卜都是刚从地里拔出来的，带着泥土的滋味，水分充足。父亲吃东西向来是生冷不忌，用刀把皮削了，抢起来就啃，满嘴的汤汁，满嘴的声音。这时老李抱个萝卜就回来了，他在那看见父亲正在生啃萝卜，老李就说：老石，你就这么吃呀。父亲正吃在兴头上，含混地说：吃吃。老李是回来换萝卜的，他家的六个萝卜中，其中有只带了些硬伤，泥呀土呀的，不太卫生。负责分萝卜的干部很愉快地为老李换了萝卜，老李乐颠颠地抱着萝卜走了。

就在父亲准备吃第二个萝卜时，老李抱着另外一只萝卜又回来了。这次是因为萝卜有一只小了些，毫无例外，老李又愉快地换了一个大的。两次换萝卜过程，父亲都看得一清二楚。就在老李转身欲走时，父亲忍不住了，他大声地吼了声：李老抠，你给我站住！老李当部长时，别人就送给他老抠的外号。在职时，父亲有什么事从来不叫他的名字，而是叫他李老抠。父亲很喜欢李部长办事的抠门精神，父亲经常拍着李部长的肩膀说：老抠哇，这样好哇！咱们都是农民出身，到啥时也不能忘本哪。李部长连连称是。

但这次父亲忍不住了，老李站住脚之后，父亲打着萝卜嗝说：李老抠，你累不累呀！为个萝卜跑来跑去，这成啥样子了。

父亲的吼叫，招来了许多人的目光。老李的脸上有些挂不住了，忙解释说：老石呀，我和老伴都爱吃这个。萝卜不好，闹心。

父亲指着脚下属于自己的萝卜说：都拿去吧，我不喜欢吃，送给你了。父亲说完转身就走了，丢下愣愣怔怔的老李抱着个萝卜在那发呆。

这事不久，父亲在一次组织生活中，没点名道姓地批评了老李这一农民性，批评得老李哑口无言红头涨脸。

母亲知道了这事，便怪父亲说：都离休了，得罪人干啥。又不是啥大不了的事，低头不见抬头见的。

父亲就说：住口！离休咋了。离休了，我们还是个老军人嘛，是军人就该有军人的觉悟。

从那以后，老李没再敢小气过。有一次他见了父亲小声说：老石呀，你以后别再叫我老抠了。都这么大岁数了，怪难听的。父亲没说什么，挤了他一眼，果然，父亲再也没有叫过老李的外号。

每个星期日，是父亲最快乐的日子。

林、晶、海一大早便带着自己的孩子热热闹闹地来了。三个大人因为自己还有许多事要办，陪父母说会话后，先是林试探地问父亲：爸，还有什么事吗？父亲挥挥手说：没事，没事，你忙去吧。晚上别忘了来吃饭。

林就如释重负地长吁了一口气走了。接下来就轮到了海。海先是看手表，看了一次，又看了一次。父亲察觉到了，便也挥一挥手说：有事你也走吧。

海就不好意思地说：部里加班，那我就先去了。

海走的时候，父亲一直目送海的身影远去，三个孩子，现在只剩下海一个人是军人了。按照他的初衷，三个孩子是一直要把兵当下去的，父业子传嘛。可是，理想终归是理想，现实也终究是现实，林和晶先后离开了部队。他们离开部队时，从来没和他商量过。他们有大事小情总是和母亲商量，这样的事，母亲又总是瞒着父亲。他们知道，这事要是先让父亲知道了，别说走不成，就是林、晶的领导也会遭到父亲的大骂。林和晶转业许久了，父亲才知道。他大骂母亲吃里扒外，骂两个孩子是一对没有出息的货色，简直就不是人养的。总之，父亲把能想到的最恶毒的词都用来咒骂孩子了。骂归骂，事已至此了，也没有什么改变余地了。于是，在那一段时间里，父亲的情绪一直不好，经常发火。事也凑巧，父亲最器重的一个年轻处长，在那一年底，提出了转业。父亲知道了，一个电话把这位处长叫到了办公室，把这位处长骂了个狗血喷头。那一年那位处长果然没有转业成，第二年，这位处长还是走了。处长来向父亲辞行时，父亲闭门不见，那位处长还是一步三叹地走了。

不久，就有消息传来，那位处长已经是一家公司的经理了，买了房子，买了车，神气得很。父亲听了这消息，长叹了口气，把头摇了。后来那位处长念着旧情，给父亲来过几次电话。父亲已没话可说了，讲几句便把电话挂了。再后来，那位处长便不来电话了。

海自小父亲就不喜欢，父亲不喜欢海的多愁善感，父亲曾说海是儿子身丫头命，只有女人才唉声叹气，泪水涟涟。没想到的是，现在只有海留在了部队，已是副团中校了。父亲常幻想，海会上校、大校一路走下去，最后成为一名真正的将军，到那时也算父业有传了。于是，父亲把希望寄托在海的身上，海的一举一动都牵动着他的心。他希望海来，海每次来都能带来部队一些最新消息，诸如某某集团军演习是否成功，场面如何，等等，这都是父亲最为关注的。

三个孩子把三个孩子带到家里后，林和海便忙自己的事去了。惟有晶没走，晶毕竟是个女人，她不仅有许多私房话要对母亲说，同时她还要帮助母亲做这做那的。按理说，父亲这一级别的干部，不管在职还是离休，家里是可以配备炊事员的，惟独父亲例外。他不喜欢炊事员做的饭菜，只喜欢母亲一个人做的饭菜，他吃了几十年都习惯了，于是父亲一直不同意配什么炊事员。

晶似乎也没有更多的话要和父亲说。这么多年了，没养成习惯，到大了改也难。况且父亲的注意力也不在大人身上，他把注意力都集中在了琳琳、淼淼和小岛三个孩子身上了。三个孩子起初来到爷爷、奶奶家里时，还很放不开，相互腼腆着，你推我一下，我操你一把地愣愣新奇地打量着这里的一切。小时候，父母就很少带他们来爷爷、奶奶家，即便来也很少能看到爷爷，于是，爷爷在他们眼里是陌生的。他们只知道爷爷在部队里当着大官，和小朋友们显摆时，所有小朋友的爷爷都没有自己爷爷的官大。官虽大，可他们离爷爷的距离却很远，远得他们都无法和爷爷亲近。他们从小到大，从来没在爷爷的怀里坐一坐，在腮帮子上亲一亲，这是他们的遗憾，也是爷爷的遗憾。

爷爷毕竟是爷爷，孙子毕竟是孙子，几个回合下来，他们便很快亲如一家人了。琳琳已经大了，都上初中了，和爷爷亲近的方法自然不一样了。他便大人似的和爷爷探讨有关飞船、人造卫星、外星球人类等等，这些都是能和爷爷说到一起的。淼淼是个女孩，虽说上小学五年级了，但很会撒娇，缠着爷爷讲故事。父亲没什么故事好讲，就讲一些七百年谷子、八百年糠的战斗故事，什么百团大战、上甘岭，每个故事都血淋淋的。对孩子来讲，父亲这些故事有如天方夜谭，只听一会儿，淼淼不爱听了，便缠着父亲唱歌。父亲不会唱什么歌，他的童年没有什么儿歌，有的只是一些鬼怪故事，长大的父亲自然不信这些故事了，他会的歌中只有《义勇军进行曲》、《志愿军战歌》等，歌自然是老掉牙了，淼淼等孩子也不爱听。父亲没招了，便打开了老式留声机，这还是在朝鲜战场上缴获的真正的美国货，很耐用。父亲放的是军号大全，什么熄号、起床号、冲锋号等等，声音长长短短，快快慢慢，三个孩子起初听得都很新鲜，时间长了，也蒙不住三个孩子了。三个孩子便缠父亲变换新花样，父亲想不出什么新花样，很累很痛苦地思索。他这才发现，原来带孩子也这么辛苦。他最喜欢的自然是小岛，因为小岛最小，才五岁，幼儿园还没毕业，况且小岛又是海在小岛上生的。于是，他便格外器重小岛，经常把小岛揽在怀里，听小岛唱儿歌，听小岛讲故事，不论小岛唱什么、讲什么他都爱听，仿佛自己又回到了童年，痴痴地笑，满身的柔情在心里漾。他还忍不住一遍遍地把自己一张粗糙的老脸贴在小岛的小脸上，享受着那缕奶香和温馨。父亲醉了。

有时林、晶、海看到眼前这一幕，不由得想到了自己的童年。他们的童年父亲从来也没有这么对待过他们，父亲那时提着枪，凶神恶煞地冲哭闹的他们大吼：不许哭，再哭老子就毙了你们。他们对自己的童年记忆犹新。看到眼前此情此景，感叹时间的轮回，物是人非。他们有时恨不能自己再做一回孩子，坐在父亲的腿上，接受父亲的亲昵与温存，可惜时光永远不能倒流了。

和三个孩子纠缠一天，父亲感到很累，但他心里却很充实，仿佛自己又重新活了一回似的。吃完饭之后，三个孩子都被各自的大人接走了。都走了，热闹一天的家又空空荡荡的了，父亲的心里也空了。他又翻开日历牌，一直翻到下一个周日，剩下来的日子里，他便巴望下一个周日能够早日到来。

　　天下没有不散的宴席，孩子们都走了，父亲和母亲只能面对空空荡荡、一间又一间的房子了。

　　母亲叹息一声道：人啥也不怕，就怕老哇。父亲听了母亲的话，半晌没有言语。

　　父亲在离休后的生活中，觉得无论如何也离不开母亲了。母亲和他说话，即便不说话时，母亲仍能制造出声音，因为有了母亲的存在，父亲空落的心里才踏实。老年的父亲，孩子似的在依恋着母亲。

　　年轻时的父亲，从来也没觉得母亲有多重要。父亲和母亲是在解放海南岛战役中认识的，百万雄师过长江之后，国民党部队便一溃千里了。父亲的部队又乘胜追击，在海南岛打了一场不大不小的战役，便顺利地解放了海南。这时全国形势一片大好，全国大部分都已经是解放区的天下了，还剩下一些边边角角的地方有国民党的散兵败将在那里阴魂不散，这一切已无伤大雅了。当了师长的父亲，此时还是光棍一条，不少上级和战友就劝父亲：小石呀，该成个家了，全国都解放了。父亲也想：是该成个家了。可他以前一直没有这个机会。

　　海南岛刚刚解放，军区的文工团随后就赶到了，要用慰问演出形式庆祝海南岛解放胜利。演出的条件是简陋的，但盛况是空前的，在天涯海角搭起了一个台子，台下是黑压压的部队，演出就开始了。母亲那时是名歌唱演员，说是歌唱演员有些言过其实，因为母亲这些人从没受过任何有关音乐方面的训练。参军后，边说边演。那时的歌曲也少，翻来复去的就那么几首，很快母亲便学会了这些歌曲。唱歌的方法当然是合唱，和母亲年龄相仿的女孩子排成一排，站在台中，放声高唱就是了。严格地说，母亲当时唱那些歌不是唱出来的，而是喊出来的。因为那时没有任何音响设备，台下上万人，声音小了台下听不见。于是母亲这些女孩子便齐心协力地一起喊歌，喊完一次嗓子都哑了。

那天，母亲又站在天涯海角和众姐妹一起喊歌了。母亲那天喊得情真意切，真心实意。那天，父亲坐在最前排，咧着嘴高高兴兴地听母亲她们喊歌。父亲看得专注而又激动，他一方面被歌声打动，另一方面也被台上那些涂着红脸蛋的女孩子吸引了。坐在父亲身旁的马军长就说：小石呀，看上谁了，你就说一声。这些女孩子可都是给你们这些光棍准备的。

马军长说的是实话。当年部队招兵一直从两个方面考虑，第一自然是为了部队需要，例如演出、医院这些特殊岗位，没有女人真不行。第二点自然也是很明显的，那就是部队光棍这么多，还有许多领导因为忙于打仗，而苦于没有个家庭，这样长期下去肯定不行，不利于稳定军心。所以说，母亲这些女孩子，还要准备给部队的老光棍们当老婆。

父亲听了马军长的话，显得有些不好意思，红着脸嘿嘿地傻笑。马军长不高兴了，说：笑什么嘛。过了这村可没这个店了。父亲就抬起头，很认真地看了眼台上那些大同小异的女孩子们。他真的说不出，那一个更好。马军长就又鼓励说：你指一个嘛，回头这事就包在我身上。父亲就说：那就最左边这一个吧。父亲无法选择，最左边的这一个，也就是最靠近父亲这一个。父亲就像抓牌，总要从最上边的抓起。马军长当即冲身边的警卫员说：你去告诉文工团长，演出之后，最左边这个留下来。警卫员得令而去了。

最左边的这个，无疑就是母亲。那一天，父亲轻而易举地把自己一生的大事定下来了。父亲指定完最左边的之后，心情就有些不一样起来。他怎么看左边的这一个都顺眼，小小的鼻子，小小的嘴巴，看得父亲心都痛了。

接下来的事情既复杂也简单。马军长带着父亲来到了后台，指着母亲说：刚才台上演出时，你就是站在最左边的那一个？

母亲不解地点头，看了一眼马军长，又看了眼父亲，她不明白，这两个首长要找自己干什么。

马军长就笑了，然后说：这是小石呀，我的师长，打仗一个顶十个。

母亲仍然不解，她不明白，父亲能否打仗和自己有什么关系。

马军长说完这话，挥挥手就让父亲走了。父亲有些落荒而逃，他激动又羞涩。他不知道，母亲是否能够答应。他不敢面对现实，只能落荒而逃了。

马军长不会绕弯子，单刀直入地说：人你刚才也看到了。小石要娶你当老婆，你愿意不愿意吧？

那一年母亲十九岁，她还从来没见过这样的阵势。虽说，不时地有文工团和她一起唱歌的姐妹嫁给这个长那个长的，但她没想到，这么快就轮到自己头上了。她一时脸红心跳，捂着脸跑回文工团驻地。马军长怎能放过，他一直追到文工团驻地。在一个房间里，马军长就再催：你是愿意呀，还是不愿意？

母亲不答，她也不知如何作答。那时她还不懂爱情，更没有想过嫁人的事。她红头涨脸地低垂着头，看也不敢看马军长一眼。这事惊动了许多人，有文工团长，还有父亲的战友、上级，他们一起来做母亲的工作。

母亲真的慌了，她从没见过这么求婚的。她只看了一眼父亲，没留下什么印象，只记得父亲是个很黑很瘦的男人。她一时不知如何是好，她从心底里并不想嫁人，她一直觉得自己还很小。

文工团长是了解母亲的，便说，这么多首长在场，你不好意思说，就摇头或点头吧。咱们来个摇头不算，点头算。

母亲没有退路了，就真的下意识地摇了摇头，马军长打着哈哈说：哪跟哪，这算啥。啥也不算。

父亲那些战友也跟着起哄道：不算，不算，这不算。

　　母亲没招了，低着头，她不再摇头，也不点头了。马军长他们似乎已经见多识广了，并不着急。他们一边吸着烟，一边说着日后打到台湾去的事。他们一说起打仗，似乎就有了无尽的话题。母亲孤苦伶仃地坐在那里，她已经很累了，连日来的行军演出，她的嗓子早就哑了，她最大的愿望就是想睡觉。眼皮打架，头一点点地向胸前垂下去，然后一点一点地打盹。在这过程中，马军长他们说话归说话，目光却一直没有离开母亲。母亲打了盹，头也算点了。马军长早就盼着这一时刻了，他一拍大腿说：中了，小石的婚事就这么定了。

　　父亲的战友们便一起喊：中了，中了！

　　母亲别无选择地嫁给了父亲。

　　第二天，父亲和母亲在天涯海角匆忙地举行了个仪式，就算结婚了。婚后的父亲，又去湘西剿匪去了。

　　从那以后，父亲和母亲时聚时散。后来有了林，父亲的部队进城后不久，著名的抗美援朝战争爆发了，父亲又去了朝鲜。一去就是几年，在这期间，父亲回国休整了两次，然后就留下了晶和海。

　　父亲从朝鲜回国后，职务一次次得到晋升。父亲官越当越大，工作越来越忙。那时广大的中国，和所有的部队，在战争刚刚结束的日子里，都一穷二白的。白手起家的日子，有许多大事小情需要父亲去操劳。有时十天半月的也回不了家一次，即便回来了，早已是夜深人静了，母亲和孩子早就睡下了。一大早，还没等母亲醒来，父亲又走了。有时一走半年，父亲和母亲也说不上一句完整的话。

偶尔父亲回来了，那时的林、晶、海还小，围着父亲很新鲜地看，冲母亲说：这个人来咱家干啥？弄得母亲哭也不是笑也不是。

父亲整日里就是忙，在单位里他有这样那样的大事要办，指示这指标那的，回到家里又是电话不断，他又要冲电话无休止地说下去，如母亲当年演出一样，嗓子都喊哑了。接完电话夜已深了，他已经没有精力再和母亲说什么了，脱巴脱巴就睡下了，直睡到第二天起床号响起。

父亲在忙乱中，孩子大了，他和母亲都老了，父亲对这一切似乎都没察觉。直到父亲离休后，他才明白，孩子真的大了，自己真的老了，母亲也老了。老年的父亲似乎才明白什么是真正的生活，什么是夫妻，什么是老伴。

晚饭后看完新闻联播然后散步，是父亲雷打不动的科目。父亲没离休前，不管有多忙，步一定是要散的。按父亲的话讲，一天不散步，骨头就发紧，吃不香睡不着。

父亲走了一辈子路了，以前是行军打仗，一晚上有时一走就是百八十里路。那时是你死我活，你不走就只

能等着敌人来消灭你，只能走。不打仗了，父亲不习惯
坐车，仍是走。父亲散步从来不四平八稳地走，而是迈
开大步，两个胳膊抡圆了，身子矮下去，一路风声。以
前散步是警卫员陪着，这是警卫员的职责，父亲也不说
什么。每次警卫员都是一副小跑的样子。屁颠颠地随在
父亲身后，大约和父亲保持在十米左右的样子。这是警
卫员的规矩，离首长太近会妨碍首长，离太远，首长万
一有什么事来不及过去。每次散步回来，警卫员都满头
是汗，气喘吁吁的样子。父亲的呼吸总是沉稳而又从
容。父亲见警卫员这样便说：年轻人，不行呀。要是搁
过去行军打仗，你一准要被敌人俘虏了去。警卫员不分
辩，只是笑。

　　离休后的父亲，只能由母亲陪他散步了。母亲在散
步前是有心理准备的，换上宽大的外衣，找出一双既轻
松又合脚的鞋。当新闻联播刚一播完，母亲马上便动身
了，她要先下手为强。父亲则显得沉稳老练，不慌不
忙，先上一次厕所，再喝几口水，清清嗓子之后，咚咚
有声地走下楼去。母亲这时已经走出了一程，父亲便挥
起手臂，迈动双腿，快步地向母亲追去。很快父亲便超
过了母亲，母亲为了不让父亲拉下得太远，急急忙忙地
倒腾双腿，仍跟不上父亲的步伐。母亲就喊：老石呀，
都这么大岁数了，急啥急。父亲不理，仍一往直前。他
在走路中，体会到了一种乐趣。只要体会到风声呼呼地
在耳边掠过，这便是他最大的快感。母亲跟不上，就颠

起脚跑，没跑几步，母亲便岔气了，她捂着肚子叫：哎哟——你要死呀。父亲已经走远了，听不见母亲叫了。她看干休所的人散步的很多，但情形大致和父亲母亲的样子相同，母亲们在后面走，父亲们在前面走。女人们落在后面，便三三两两地聚在一起说话，她们把陪男人散步的初衷忘在了一旁，变成了名符其实的散步。

当父亲向后转的时候，碰到了往回走的母亲，于是母亲又相跟着往回走。父亲到家之后，用冷水撩完了身子，打开电视坐下来喝茶了。母亲才吁吁着走回来，又是捣腿，又是抚腰的。母亲对这一切已经习惯了，她不责怪父亲。第二天，她仍乐颠颠地随在父亲屁股后头"散步"。以前她从没享受过这样的待遇，老了有这样的待遇了，虽苦点累点，但她知足了，别的一切都没啥了。

吃完早饭以后，是母亲例行去菜市场买菜的时间。那一天，父亲看着刚要出门的母亲说：以后我陪你去买菜吧，反正闲着也是闲着。父亲能说出这样的话，大出母亲的意外。她从来没敢奢望过父亲会和她一起去买菜，这是她多年来做梦也没有想过的。她看过别人老夫老妻一起成双成对地去买菜，那时，她是多么的羡慕呀。

父亲的提议令母亲激动得走路都不知先迈哪条腿了，她的脸上洋溢着满足幸福的笑意。当走出干休所大门的时候，母亲学着别的老夫老妻的样子，试图挽着父亲不时甩动的手臂，结果自然被父亲甩开了。父亲说：买菜就买菜，单纯点，别那么婆婆妈妈的。母亲的热情受到了一定程度的影响，但她仍满怀愉悦地随父亲走向了菜市场。

父亲还是第一次走进菜市场。满眼里都是土地里长出的东西，一走进这里他就觉得很亲切，久违的亲情使你们析情绪难以自抑，他仿佛又回到了老家，站在种满庄稼的土地上，大口呼吸着谷物们的气息，父亲陶醉了。他觉得什么都可买可吃，不住地指指点点，让母亲买这买那。母亲可不像父亲那样显得没有经验，她不急不慌，从这头走到那头，不住地问着价钱，比较着，然后她才拿定主意，该买什么，不该买什么，买哪家不买哪家的。父亲随在母亲身后一遍遍催促着：行了，买吧，多好的黄瓜呀。

母亲买菜时，两眼盯紧了小贩手中的秤，为了几分的零头和小贩讨价还价，最后以小贩妥协而告终。父亲就小声问母亲：钱没带够还是咋的？母亲说：你懂啥，谁买菜不讨价还价。

父亲不高兴了，冲母亲说：你把钱给我。父亲这么多年来，兜里从来没揣过一分钱，家里的事都由母亲一人操持。他要钱没用，有了钱他也不知咋花。

母亲没有办法，只好把钱袋塞给父亲。父亲大权在握，立马挺起了胸膛，从母亲手里提过菜筐，撇开母亲向前走去。他来到一个菜摊前，指着一堆黄瓜说：来二斤，来二斤。

小贩很高兴，母亲赶来了冲父亲说：买那些干啥，吃不完都蔫了。父亲不理，小贩就说：二斤半，咋样？父亲说：就是它了。然后让小贩把黄瓜往筐里装，父亲地主似的看着筐里的黄瓜。父亲付钱时，小贩找了整数，又费劲巴拉、磨磨叽叽地去找零时，父亲又一挥手说：不就是那几毛钱嘛，不用找了。小贩就一脸惊喜。

父亲和母亲走出菜市场，母亲接过父亲手提的菜筐，又要回钱袋，满脸不高兴地说：你这个败家子，哪有你那么买菜的。

父亲就说：农民都不容易，挣俩钱回家能派上大用场。

母亲说：你不当家不知柴米贵。

父亲说：咱们能吃饱喝足，可以了。还想咋的。

母亲不想咋的，但母亲仍满脸不高兴。母亲最后说：下次你别来了。

父亲刚尝到逛菜市场的甜头，不让他来菜市场等于堵死了他一条路，父亲只好服软道：好好，下次我不当家了，还是你当家。

母亲这才转怒为喜。

下次再来时，母亲又和小贩讨价还价时，父亲在一旁仍说：农民不容易呀。母亲不理他，父亲只能一次次感叹了。

这一段时间，父亲吃饭睡觉的，总觉得缺点什么，让他心里怪别扭的。一次睡觉前他无事可干，摆弄那部老式留声机，放的自然是这样那样的号声，当他听完熄灯号时，已经困得连眼皮也睁不开了。

第二天，父亲才恍然大悟，原来好久没有听到军号了。从那以后，他每天睡觉前都要给自己放一段熄灯号，然后踏实地睡觉。后来发展到，起床后也放一段起床号，那样一来他才觉得新的一天真正的来了。

海后来得知了父亲这一毛病，买了一只日本造的放唱机，用的是光盘，光盘里刻的都是军号，又能定时，起床放起床号，就餐放就餐号，熄灯自然放熄灯号。海把这日本货送给了父亲。从此，父亲又能准时地听到不同内容的军号声了。

起床号一响，父亲一骨碌爬起来，和当年一样，擦把脸又跑出去了。就餐号响起时，父亲便会坐到餐桌旁，冲母亲喊：我饿了，到开饭时间了。于是母亲就急煎煎地往父亲面前端饭端菜。

熄灯号响起时，不管母亲如何被电视里的连续剧吸引，父亲都要强行着关灯，关电视，拉着母亲去睡觉。母亲就感叹：过了一辈子军营生活了，你还没过够哇。

父亲说：军营生活有什么不好，我一辈子都过不够。

然后就睡觉，鼾声如雷。母亲在鼾声中也很快就睡去了，一切都习惯了。

父亲在房间里挂满了昔日的"军事布防挂图"。这是海在作战部的资料室里为父亲找来的，身为中校军官的海很了解父亲的心情。挂在父亲眼前的挂图，都是父亲当年的杰作，那时为反帝防修，便在边疆沿线布置了许多兵力。现在形势早就发生了变化，当年这些兵力布防图也就失去了它当年的作用，昔日的秘密，在今天看来，早已成为历史了。

父亲看着满眼的挂图，心情却久久难以平静，仿佛又掀开了昔日的岁月，那是多么令人难忘的日日夜夜呀。那时身为军区参谋长的他，带领作战部的部长、处长、参谋们，一次次出现在边界的大小山梁上。父亲用手指指点点，胸怀激荡。在他当年的想像中，眼前一切不久就会变成硝烟滚滚的战场，那才是军人应该有的日子。后来就有了这些根据地形地貌绘出的兵力布防图，它们花去了和平年代里父亲所有的智慧和心血。父亲长时间站在这些挂图前，仿佛又回到了当年，炮声隆隆，枪声阵阵，这一切是多么的让人激动唯。

父亲站在挂图前，他面对的不仅仅是一些纸绘的挂图，而是一片片山川河流，还有潜伏在山川里的千军万马。父亲用树根在上面指指戳戳，踱步，然后很深刻地沉思。当年的父亲一直希望这些挂图能派上用场，可他等了一年，又等了一年。那时全国上下整日里吵嚷的都是：深挖洞，广积粮，备战备荒。一直到父亲离休，也没有打起来，父亲只能在这些绘图前长久地缅怀了。父亲久久地凝望着这些挂图，仿佛在凝视着自己曾经有过的岁月，父亲的眼睛干涩了。他向窗外望去，阳光一片，一切都是那么静谧可人，一群鸽子从楼顶上飞过。父亲莫名其妙地流下了眼泪，老泪纵横的父亲，久久地凝视着窗外。

白天大部分时间里，父亲便和众人聚集在凉亭下，抡胳膊挽袖子，吵吵嚷嚷，带领司、政、后的老尚、老王、老李等人和昔日二野的一群人下棋。小小的横盘上，双方寸土必争，为一步棋双方常常争得面红耳赤，父亲一生气就说粗话：操，老曹，妈拉个巴子，你也太不像话了。明明我们的马吃了你的车，你还赖账。操，是不是你们当年二野的人打仗都这个德性。

老曹也毫不相让，脸红脖子粗地说：操，你们赖账咋不说呢？你们四野的人都是一群赖皮狗。你们是狗，你们才是狗！老尚、老王、老李等人也一起相帮。操操操，狗狗狗地吵成一团。此时他们不像一群离了休的老人，而更像一群孩子，为芝麻大的一点事，认真较劲。在这种时候，棋是无法下了，其中一方把棋盘掀了，车呀马呀炮呀地散落一地，另一方说：不下了，不下了。再和你们下，我们就是狗。然后两拨人气哼哼地走了，那样子像结下了血海深仇似的。

转眼之间，也许半天，最长也超不过一天，两拨人又凑在一起了，离老远就招呼：老石呀，来来来，咱们再下一盘。父亲挽挽袖子道：来就来，谁怕谁呀。老尚、老王、老李伴随在父亲左右，相拥着向凉亭走去。没下几盘，又开始吵，然后，又是不欢而散。

父亲在不下棋的时间里，莫名其妙地想念孙子孙女们。他每天早晨起床的第一件事，便是翻开新的一页日历，然后他巴望着周末早一点到来。只有到周末的日子里，他才能见到可爱的孙子、孙女们。那是个开心的日子。他给他们讲故事，只有孙子、孙女们在时，他才能光明正大、明正言顺地讲那些陈芝麻烂谷子的往事。是他们又一次让他温习了自己光辉灿烂的岁月。

孙子、孙女们，也有如一缕清新甜蜜的风，滋润着他。

有时晚上没事，父亲实在熬不住了，就开始逐个地给孙子、孙女打电话，咿咿呀呀，孩子似的和孙子、孙女们聊上一阵子。母亲就说：行了，说一会就算了，孩子们要写作业哪。父亲说：不忙，不忙，再说一会儿。父亲听着森森和小岛在电话里奶声奶气喋喋不休的声音，父亲的脸上如盛开了一朵花。

孩子们有时也主动把电话打过来。经过这一段时间的磨合，他们发现爷爷原来也是很可受的。可爱之后，便也离不开他了。电话铃响起时，父亲和母亲总要争着去接电话，一方先拿起话筒眉飞色舞讲起时，另一方在一旁就急得直搓手，不时地提醒对方道：都过五分钟了，该轮到我了。对方就是死握话筒不松手，表情依旧是眉飞色舞。

讲完之后，两个人总要理论一番，谁比谁多说了。少讲的那一方吃了多大亏似的在一旁赌气，有时一晚上也不理对方。父亲定的熄灯号吹响时，两人就睡下了，依旧是谁也不理谁。好在这样的气是怄不过夜的。第二天，起床号响起时，两人似乎都把昨晚的事忘记了。父亲跑步，母亲做饭。吃饭时，两人又商量着去菜市场。现在父亲买菜的大权已经旁落了，经过据理力争，母亲又重掌了买菜的大权，左手提筐，右手死抓钱袋。父亲只能相跟着了，他似乎是母亲的保镖。虽说这样，父亲也知足了，他嗅着带着泥土芳香的茄子土豆们，心里愉悦着巨大的幸福。

父亲已经完全适应了离休后的生活。父亲觉得离休后的生活也没有什么不好，习惯了，一切都无所谓了，日子就又是日子了。

在又一次检查身体时，老李住院了。在以后的日子里，干休所院落里，便少了老李的身影。父亲他们就议论，老尚说：老李前几天还好好的呢，咋说住院就住院了呢。

父亲也说：可不是，秋天的时候还为一个萝卜楼上楼下的跑呢。

二野和四野的人又聚在一起吵吵嚷嚷地下棋时，父亲依旧要很民主地征求司、政、后各位首长的高见。当父亲把头转向左边老李经常坐的位置时，那里已经人去位空了。父亲再次把目光停留在那里时，总要愣一下神，然后拿起一枚棋子大声地说：将！

父亲和他的警卫员

FU QIN HE TA DE JING WEI YUAN

父亲和他的警卫员

一

父亲终于老了。

七老八十的父亲，再也不活力四射了，他只能站在自家门前惆怅地望着远方。他在等一个人，这个人究竟是谁没人能够知道。

父亲离休后，便住进了这幢小楼。那时他还算得上年轻，从不与先他一步来到干休所的那些老人为伍。那一时期，他总是显得形单影只，离休后的大部分时间里，父亲总是很闲暇的。闲暇的父亲，在干休所的花园里总是舞枪弄棒，打打杀杀的，看得那帮老人也跟着一惊一乍的。给父亲当过参谋长的老尚看不惯父亲这一套，就对父亲说：

"老石，拉倒吧，都这么大岁数了，歇歇吧，你以为你还年轻呀。"

父亲不理老尚，老尚其实只比父亲大几岁，早离休几年，因此，老尚就显得很稳重，每日里手里端了个茶壶，走到哪喝到哪，茶壶里泡的是西洋参什么的，名曰保健。老尚等人，要么就是吵吵嚷嚷地围在一起下象棋，为输赢急得脸红脖子粗。还有，老尚等人要么就打太极拳，在父亲眼里，这都是老娘们干的勾当。因此，父亲和这些老什么们很合不来，也不正眼瞧他们，自己该干啥还干啥。

父亲手里有两样传家宝，一是一把东洋刀，那是在日本人手里缴获的，刀的主人是日本的一个大佐，父亲当团长那会儿，全歼了大佐的部下，又活生生地把正准备剖腹自杀的大佐活捉了，这把东洋刀自然就成了父亲的战利品。那会儿父亲的上司是林彪，林彪当年也是很赏识父亲的，把这把东洋刀赠给了父亲，作为父亲永久性的纪念。

父亲另一件宝物是一支二十响盒子枪，这是和国民党作战时缴获的。当然也是作为战利品被领导奖给了父亲。

父亲从一名通讯员，一直干到军区的副司令，用过的枪他自己都记不清了，但他惟独喜欢这支盒子枪，这枪单发、连发都能打，握在手里沉甸甸的，手感很好，更重要的原因是这支枪救过父亲的命。父亲这两件宝贝，一刀一枪伴随着父亲走过了大半生。这一刀一枪给父亲的战争岁月带来了莫大的荣誉。和平岁月里，这一刀一枪给父亲增添了无穷的快乐。

　　每天早晨，在干休所院内一隅，人们经常可以看到父亲舞刀弄枪的身影。父亲先舞东洋刀，那把刀被父亲保养得很好，白生生的晃人眼睛，父亲就舞着这把刀，看得人眼花缭乱。老尚一干人等在一旁就咋舌，一边咋舌一边说：这老石，把自己当成小伙子了。

　　众人听了老尚的话，就都一起丰富地笑。父亲不理这一干人等。该咋地还咋地，待出了一身透汗，父亲这才收刀收势，喘息两口之后，又拿出了那支盒子枪。父亲把这支枪已经把玩得出神入化了。美国西部电影经常有牛仔们把玩枪的镜头，无非是拔枪，上膛，枪在手里出两个花样，然后射击。这一切在父亲眼里简直是小儿科，父亲的枪把玩得实用、娴熟，具有极强的审美性。枪先在盒子里装着，父亲伸手抓枪，抓枪的一瞬，完成了子弹上膛的动作，这时枪已在手，枪口在父亲眼前那么一划，他的射击面已是360度了，在他的眼前绝没有射击的死角，想当年，盒子枪里装满二十发子弹，只要父亲枪口这么一晃，不出几秒钟，眼前，左右的十几个人便成了枪下鬼。

　　父亲玩枪玩刀玩出了艺术，玩出了快感，玩出了审美。就连老尚等不大苟同父亲玩刀弄枪的人，看了父亲的表演，都咋着舌说：这老石，嘿，还真有一手。

　　父亲在一片惊叹声中收势换式，这时的父亲，脸色潮红，微汗顺着鬓角在阳光下晶莹闪亮。父亲在玩刀弄枪时，外衣早就脱下来了，搭在椅子背上，父亲自从来到部队，就没穿过一天老百姓的衣服。此时，父亲穿的是绿军裤，白衬衣，袖子挽着，很干练也很青春的样子。父亲不玩了，很随便地把外衣搭在肩上，左手握刀，右手提枪，头也不回地向自家楼门走去。父亲的背影就像一个小伙子，干练而又利索。老尚等人望着父亲的背影，不无羡慕地说：这老石还和当年一样。

父亲没离休时，就把三个孩子先后送到了部队，先是林去了边防哨卡，后来海又去了海岛，那是个孤岛，一年半年也不回来一次，就是女儿晶也去草原当了一名骑兵。犬父虎子，他相信三个孩子都会比自己有出息。父亲对待孩子，从不婆婆妈妈。父亲把孩子接二连三地送到部队，就万事大吉了，连信也不去一封，更别说和什么人打招呼了。父亲在孩子们面前说得最多一句话就是：路是自己走出来的，想当年我十三岁参军……父亲回想起当年，总是这样做开场白。父亲一这么开场，孩子们便纷纷地逃离了父亲，孩子们不爱听父亲讲古，他们听得太多了。只有母亲无路可逃，她成为了父亲忠实的听众。有时母亲也烦，就说：老石你别说了，都说过一千遍了，累不累呀。父亲正说得兴起，刚讲到二十七岁当团长，单人匹马，到土匪窝子里和土匪谈判的事。母亲的话明显地打击了父亲的积极性，因此，父亲就没有好气地说："爱听不听，我又没扯你耳朵，你可以走哇。"

母亲果然走了，到楼下的厨房里准备午饭去了，父亲就不说了，他还说给谁听呢？于是父亲这时就想起一个人来，那个人就是曾和他出生入死几十年的警卫员小伍子。

在孤独的时候，父亲异常思念小伍子。

后来母亲就去世了。母亲死之前，拉着父亲的手说：老石呀，我比你小十几岁，原以为比你能活，没想到却要比你早走了。以后就没人听你讲古了……

父亲含着泪拉着母亲的手，欲说还休的样子。母亲又说：老石呀，我不在了，让孩子们回来吧，对你也有个照应。

父亲没说什么，两滴泪水落在母亲苍老的手上，两滴泪水似对母亲一生的总结。母亲终于闭上了眼睛。父亲站起身挥挥手，擦干眼泪，该干啥还干啥。

父亲并没有遵循母亲的遗嘱，孩子们几次要求调到父亲身边来，都被父亲拒绝了。父亲同时也拒绝了干休所领导对他的关心，父亲这个级别的领导，离休后是可以配炊事员、通讯员、司机的，父亲一个也没要。母亲去世后，干休所领导考虑到父亲一个人生活不方便，打算给父亲配一名炊事员，买个菜做个饭，打扫个卫生什么的，也被父亲拒绝了。父亲提出了惟一的一个请求，那就是要求到干休所食堂入伙，没成家的干部战士都在食堂就餐。父亲对这个食堂已羡慕好久了，现在机会终于来了。从此以后，只要听到一声哨响，那是干休所食堂开饭时间，人们就会准时地看到父亲端着碗、向食堂匆匆走去的身影。

刚开始，干休所领导考虑到父亲的级别和年龄，单独给他开设了一个雅间，每顿饭都是四菜一汤，营养搭配合理。父亲却不愿意，硬要和干部战士们一起吃。每顿都是两个菜，是大锅炖出来的，父亲却吃得香甜无比，他舔着嘴唇说：俺老石就爱吃这样的汤菜。样子也是喜笑颜开的。看他那样子，盼望这样的生活已经好久了，母亲的去世在父亲身上看不到一丝一毫的阴影，相反，这种无拘无束的生活给他带来了前所未有的快乐。

父亲仍玩刀弄枪，脸色红润，腰板笔直，走起路来虎虎生风。那时父亲毕竟还算年轻。现在父亲终于老了，人们再也看不到他那生龙活虎的身影了。父亲的脸上时常写满了悲哀，站在自家的院门口，期盼着一个人，有时也回想起当年那些风光的岁月。父亲想起这些时，往事历历在目，恍似就发生在昨天。这时会看到父亲的嘴角挂着一缕微笑。

二

父亲十三岁那一年放下了放牛的鞭子，参加了革命。那天下午是决定父亲命运的时刻，如果不是遇了上革命队伍，遇到其他队伍，他也会毫不犹豫地随队伍走去。那天父亲给东家放牛，两只发情的公牛为争夺一头母牛，顶了一中午架，累死在了山坡上。父亲知道无论如何没法向东家交差了，他就开始哭泣，无助地哭泣，只有牛听得见父亲的哭声。

这时山下正过队伍，无路可去的父亲，只好扔了放牛的鞭子，一耸一耸地随着队伍走了。就在这支队伍过去不到一个时辰，另外一支队伍也途经于此，那是一支国民党的部队，所以说父亲的机遇在一个时辰间就发生了天翻地覆的改变。

十三岁那一年，父亲还没有枪高，胡子连长把一杆长枪掼在父亲怀里时，那杆枪差点把父亲压趴下。胡子连长就笑了。摸着父亲的头说：打仗还差点，当我的通讯员吧。父亲就成为了胡子连长的通讯员。父亲当通讯员时，没有武器，只有一把砍山刀，说是砍山刀，只比砍柴刀大上一号，共产党的部队有逢山开道、遇河搭桥的优良传统，砍山刀，就是遇山开道的那一种刀。于是十三岁的父亲，扛着砍山刀，不分昼夜地去营里领通知，汇报敌情，山间小路，田头地边都留下过父亲一耸一耸的身影，成为了当时部队一道新奇的风景。

单说那一次，父亲的连队被鬼子包围了。连长让父亲去营里搬救兵，那时部队都化整为零，和鬼子开展游击战。那是个月黑风高的夜晚，远处有零星的枪声在身后时隐时现，那时鬼子还没弄清我方的兵力，双方只是冷不丁地打冷枪，相互试探着。

父亲爬过一座山，面对一条河时，发现了蹲守在那里的几条狼，狼是饿狼，红了眼睛，它们原本发现了一个猎物，不料那猎物就在它们眼皮子底下消失了。几头狼正在那里气急败坏地运气，这时，它们就发现了父亲。头狼嗷叫一声，群狼立刻抖擞精神朝父亲围了过来。父亲以前并不怕狼，以前放牛时，也见到过狼，那时是白天，牛群哞吼一阵，他也会虚张声势地扔几块石头，狼就吓跑了。这次不同，没有牛群助阵，又是晚上，遇到的又是群狼，父亲就手足无措了。他刚开始并没觉得有多么恐惧，连队被鬼子包围了，几十个人的性命系在他一个人身上，如果天亮前搬不回救兵，几十个人说不定就让鬼子包肉馅了。父亲一急，就不那么害怕了。他弯下腰，学着吓唬狗的样子拣起了一块石头，向狼群扔去，狼群不仅没有被吓跑，反而更近地包围了他，星光下，前后左右足有六七头狼，团团将父亲包围住了。父亲看到了狼绿森森的眼睛，甚至闻到了狼们呼出的腥臊胃气，父亲害怕了，冷汗顺着脊梁沟嗖嗖地冒了出来，汗浸了前胸后背。此时的父亲一副不知如何是好的样子，他蹲在地上，冲着狼群哭了起来，他一边哭一边骂：狗日的狼，咋这时候挡我的道呀。

　　狼们自然听不懂父亲的话，更不理解父亲此时的心情，它们的目的单纯而又明了，那就是恨不能一口把父亲撕扯得七零八落，来填补他们饥饿的肠胃。

　　远处的枪声又隐约地传来，父亲猛地清醒了过来，他想起了自己的使命，抓起了砍山刀，直到这时，他才想起一直提在手里的砍山刀，越过河，再走十几里山路，就到营部了。眼前的几头狼却拦住了他的去路。突然，父亲闭上眼睛，挥舞起手里的砍山刀，一边咒骂，一边喊叫着向前跑去，他骂：狗日的狼，跟你拼了。他喊：好呀，咋这么多狼呀。

　　狼们突然被父亲的变故弄愣了，它们先看见父亲坐在地上哭，它们以为这回到嘴的肥肉不会跑了，没想到，父亲突然站起身，手舞砍山刀，疯了似的冲过来。狼们惊怔了，这一瞬间，父亲已冲出狼群，哗哗啦啦地蹚过河消失在山林中。待狼们回过味来，父亲已经一头撞开营部的门。

自那以后，父亲说死也要有属于自己的一支枪。父亲把这一希望冲胡子连长说了。胡子连长背着手在屋里转悠了半天，才说：那你就到敌人手里夺去，夺到啥样是啥样的。听了连长的话，父亲就做起了夺枪梦。

那时部队还不能正面和敌人交手，虽说三天两头地打仗，但打的都是游击战，敌追我跑，有时连敌人的面都见不到。夺敌人的枪谈何容易，整个一个没机会。父亲为此苦恼了很长时间。

机会终于来了，父亲又接到了连长的命令，让他去一个镇子里取一份情报，这个镇子被鬼子和伪军占领着，但有组织在地下活动。父亲的任务是到镇子里"老来兴"中药辅去取一封信，父亲说：有柴胡吗？有人答：有，要几两？父亲再说：要三两三钱。这暗号就算对上了，那人会交给父亲一张镇子里敌人的兵力图。父亲很顺利地找到了"老来兴"中药辅，也很顺利地拿到了情报。父亲本可以出城了，父亲那年十四岁，还是个孩子，又没有穿军装，进城出城都不会引人注意。就在父亲走在街上，准备出城时，他看到了一个伪连长屁股后头挂着的盒子枪。盒子枪在伪连长屁股后头一摇一荡的，父亲的眼睛就直了，他做梦都想有这么一支盒子枪。事后想起来，父亲此时的举动简直走火入魔了。伪连长后头跟着一个警卫员，背着长枪蔫头奔脑地在伪连长身后跟 着。伪连长此时想在街上打秋风，先是在一个馒头摊前立住脚，拿起一个馒头，咬了一口，又把馒头扔在脚下，嘴里骂骂咧咧的。卖馒头的汉子，咧着嘴皮笑肉不笑地冲伪连长笑着。伪连长不看那汉子，把脸瞄向一个卖香烟洋火的老头，伪连长就像电影里经常出现的镜头一样，拿了一包烟，一盒火走了。老头就喊：老总你还没给钱呢。

随在伪连长身后的伪军，冲老头呲了一回牙，骂了句什么，老头才不敢吭气。这期间，父亲一直随在伪连长的身后，他眼里只剩下那支盒子枪了，盒子枪到哪，他就跟到哪。后来，伪连长钻进了一个茅厕里，半天没有出来，那个伪军蹲到一个茶摊前一屁股坐下，咕咕噜噜地往肚子里灌茶水。

父亲急中生智，捂着肚子也钻进了茅厕，伪连长还在蹲坑，他一定是有便秘的毛病。父亲进去时，他还瞪着眼，攥着拳，吭吭唧唧地和自己较劲。父亲想也没想，也蹲在了伪连长一旁，伪连长缓过一口气，冲父亲吼道：小毛孩子，凑什么热闹，滚一边去。

父亲不滚，他眼睛一直盯着那支盒子枪，此时那支枪套在伪连长的脖子上，枪在胸前晃悠着。父亲觉得机会来了，他脑子里只有一个想法，那就是把盒子枪弄到手。父亲赤手空拳，连砍山刀都没带，突然他看见了脚下的石头，那是茅坑旁垫脚石，父亲毫不犹豫地搬起了石头，伪连长正一心一意地和肚子里一堆杂碎较劲，没想到父亲会把石头砸向自己的头。他只"嘿唷"了一声，便掉进了茅坑里，父亲顺手把盒子枪揽到自己的怀里。父亲抱着衣服里藏着的盒子枪走出来。他看见那个伪军仍在那喝茶，吃瓜籽，哗哗剐剐的，有声有色的样子，伪军连眼皮都没有撩一下。

父亲一口气跑回了连队，从此父亲有枪了。父亲这种行动，受到了连长的表场，同时也遭到了批评。批评就批评吧，反正父亲从此拥有了一把属于自己的枪。

这支枪一直随着父亲走南闯北，东打西杀。此刻，那把枪仍旧挂在父亲的床头。父亲终于老了，他再也玩不动枪了，但父亲每天都要雷打不动地擦那支枪，然后望着那支老枪，想着自己青春年少时的往事。

老年的父亲想起往事时，心头便蒙上了一层尘埃。对青春年少的向往，加深了父亲的悲凉。

父亲站在自家门前，冲朝他张望而过的年轻人背影说：看什么，看我老了是不，你早晚也有这一天。

父亲一面怀想着青春，同时也嫉妒着青春。他更加急切地想见到一个人。

三

父亲的命运发生改变，是给麻子团长当警卫员时发生的。那一年父亲十五岁，他给胡子连长当了两年通讯员后，个子长了半头，胳膊腿的骨节正是咯咯巴巴生长的时候，十五岁的父亲已出落成一个准小伙子了。一次去团部送信，麻子团长看中了父亲，于是父亲就成了麻子团长的警卫员。

　　警卫员有警卫员的准则，他要保证首长的安全，这是至关重要的一条。警卫连长已明确地和父亲交待过这一准则。警卫连长说：团长的命就是全团一千多号人的命，要是团长有个三长两短，我拿你的脑袋是问。

　　父亲知道自己的脑袋宝贵，团长的脑袋更宝贵，于是父亲一点也不敢马虎。麻子团长打仗时有个习惯，总是要到前沿阵地去，指挥部形同虚设，麻子团长有望远镜也不用，一定要用自己的眼睛看到才作数。这样一来，团长的危险性就加大了。有几次父亲随团长去前沿阵地，仗打得正激烈，子弹嗖嗖地从团长头顶和父亲头顶飞过。团长端着一把枪，一边指挥一边射击，有一次，敌人的子弹把团长的帽子都打飞了。父亲就有些着急，随在团长屁股后头喊：团长，回去吧，这里也不多你一个。麻子团长一打仗，眼睛就充血，脖子上的血管一道道地努突出来。父亲的喊叫，他根本没有听到，换句话说，就是听到了，他也根本没往耳朵里去。

　　这事之后，父亲遭到了警卫连长强烈的批评。父亲有些委屈，辩解着说：团长根本不听我的。连长就说：你是个死人呀，不会用力气呀。父亲不知怎么冲团长用力气，两眼茫然地望着连长。连长就给父亲做了个示范，他用肩膀一扛父亲，就把父亲扛倒了。然后连长拍拍手说：就这样。

　　接下来父亲就明白了，人都扛倒了，接下来的事还不是自己说了算，可以把团长绑起来，也可以把团长背下去，他不会管团长愿不愿意，保卫团长的安全就是他的工作。父亲心里有数了，再见到团长时他就忍不住地想乐。麻子团长不明真相地说：小石头，你笑啥？父亲不语仍笑，心说：团长你就瞧好吧。

瞧好的日子终于来临，那年代，三天两头地打仗，麻子团长冲锋陷阵的机会就很多，团长又一次上阵地，父亲自然劝不住，只能尾随着团长上了前沿阵地。战斗打响的时候，父亲就冲团长吼：回去，你给我回去！这次父亲得到了制服团长的要领，喊叫起来的底气就很足。团长正忙于察看敌情，不理会父亲，父亲的身体挡住了团长的视线，团长还恼火地拨拉父亲：一边呆着去。

父亲真的火了，他学着警卫连长的样子，用身体去扛团长，没料到的是，团长纹丝没动，自己倒被团长撞了个跟头，父亲有些恼羞成怒了，他爬起来，再接再厉地向团长撞去。团长也烦了，扔了手里双枪冲父亲吼：小石头你干啥，耽误了军情，老子毙了你。

父亲趴在地上就没词了，他恼怒、羞愧、委屈，眼泪在父亲眼里打着转转。他仰着头望着灯塔一样的团长，这才明白，凭自己十五岁的身体是无论如何撞不倒团长的。警卫连长交待他的话父亲仍清楚地记得，团长的命就是全团一千多号人的命，想到这，他又向团长扑去，这次他抱住了团长的腿，一下子就把团长扑倒了，也就在这时，一颗炮弹飞了过来，在他们身边爆炸了。父亲救了团长一命，要不是父亲这一扑，那颗炮弹说不定会要了团长的命。

就这样，团长也挂彩了，两块炮弹片击中了团长的大腿，战场上的情形也很危险了，鬼子分三面包围了阵地，部队已开始后撤了。接下来，保护团长的任务，责无旁贷地落在了父亲身上。团长足有一百八十多斤，对于十五岁的父亲来说一百八十多斤的团长简直是泰山压顶。那时的父亲也说不清到底哪来的力气，总之，他背着团长，一鼓作气跑了二十多里山路，一直到接应的部队出现，父亲一头栽倒了，他从胸膛里吐出了一口鲜血。接下来，便人事不醒了。

父亲醒过来的时候，第一眼便看见了团长，团长的腿上裹满了绷带，团长正不错眼珠地望着父亲。父亲见到团长，突然"哇"的一声哭了起来。他一边哭一边说：团长，我以后不给你当警卫员了。

团长含着泪，一边笑着说：小石头，以后我一定听你的。

这件事，让父亲和团长成了生死之交。在战争年代，警卫员和首长结下这种生生死死交情的动人场面，不计其数。当父亲当了团长之后，他也和警卫员小伍子谱写了一曲悲悲泣泣、轰轰烈烈的人性交响曲。

麻子团长不久就当上了师长。警卫员仍然是父亲，那年，父亲已年满十八岁了。虎背腰圆不敢说，总之，父亲浑身的肌肉条条块块的，父亲身体里经常涌动出一股燥热，他想喊、想叫、想跳，三天不急行军一次，父亲就觉得有劲没处使。五天不打仗，父亲就搬师部所在地村头放着的石碾子，他把几百斤重的石碾子搬来搬去，一直搬得满头是汗，他才平静下来。

父亲现在不用仰着头去望师长了，他现在只要轻轻一扛就能把师长灯塔样的身体扛倒了。每次打仗时，师长再也不敢和父亲耍威风了，而是陪着笑脸，央求父亲：石头，让我去看一眼吧，要不然我心里没底。父亲板着脸，一棵大树似的站在指挥部的门口，师长一看见父亲就一点脾气也没有了。然后他像一头磨道上的驴子一样，在指挥部里团团乱转。战斗打响的时候，电话早就接通了。这时，指挥所里电话铃声不断，师长不习惯冲电话发号施令，他接电话时，就冲各团各营发火：外面的情况我也不知道，你让我下啥命令。说完摔了电话，然后虎视眈眈地望着站在门口的父亲。父亲不怕师长，也和他对视着。直到师长一双目光柔和了下来，半晌又哀求地说：石头，让我去看一眼吧，就一眼，行不？

父亲见师长这样了，硬下的心也化了。便说：那你得听我的，我说回来就回来。

师长就说：行，行，听你的。

直到这时，师长又像出笼的小鸟一样自由了，他呼吸到了战场上的硝烟，于是，师长就又是师长了。在阵地上停留时间的长短，父亲会依据情况而定，有时父亲让师长撤下来，师长不听，父亲一扛就把师长扛倒了，然后抓猪似的抓起师长就走，师长就无奈地说：我操，小石头，你跟我来这一套，你等着。

父亲不听师长那一套，等战斗结束了，师长说什么他都听，此时，师长却得听父亲的。师长和父亲两人的感情就在这种吵吵闹闹中增进着。

一晃，父亲给师长当警卫员已有五六年，父亲早就想着下到部队去了。父亲也喜欢打仗，在战争中才能成长。师长也觉得把父亲留在自己身边太屈材了，也想找个机会把父亲放到部队里锻炼锻炼。

父亲终于离开了师长，到部队当上了一名尖刀连的连长。

父亲又和师长见了几次面，每次见面师长都抓住父亲的手摇了又摇说：小石头，我想死你了。一旁的警卫员就补充道：师长晚上做梦都喊你的名字。父亲听了，眼圈红了。把师长的警卫员拉到一旁，千叮咛万嘱咐，无非是师长的安全，以及师长的生活规律，喜好等等。警卫员就一脸愁容地说：石连长，别的都好说，一打仗师长就不听我的了。

父亲望了眼警卫员，警卫员又瘦又小，他想扛倒师长是不可能的，父亲就说：那你就抱师长的腿，像死狗一样地缠住他。

警卫员就点头。

父亲就又说：师长要是有个三长两短的，我拿你是问。

警卫员就一脸严肃地说：石连长你放心，我知道师长的命比我命重要。

父亲还想说什么，忍住了没说，重重地拍了拍警卫员的肩头。

又是一个不久，在一次遭遇战中，师长牺牲了，连同师长的警卫员，一块被鬼子的炮弹击中了。父亲得到这个消息后，两天没吃下饭去，他一直念叨着：要是我在就好了。

师长的墓地就草草地建在了那座秃山上，直到解放后，师长的墓地才移到烈士陵园。每年的清明节，父亲都要为师长去扫墓，在师长墓前坐一会儿，点上支烟，放在师长墓前，父亲说，师长，小石头来看你了。父亲望着袅袅的香烟，觉得师长的魂就在身边。

父亲说：师长，抽口烟吧。

父亲还说：师长，石头想你呀。

父亲还说：师长，还记得当年么？

老年的父亲，回想最多的就是当年，那时父亲和他的战友们都很年轻。年轻的岁月就有了许多让人回忆一辈子的事情。

四

父亲当上团长那一年，有了自己的警卫员。第一任警卫员就是小伍子，按父亲自己的话说：这小伍子咋长的呢，跟我一个德性。

那年小伍子二十岁，长得圆头圆脑，短胳膊粗腿的，在给父亲当警卫员前，小伍子已经是当满四年兵了。警卫连长给父亲选警卫员时，一眼就相中了小伍子。父亲也相中了小伍子。小伍子来到父亲身边几个月后，父亲就喜欢上了小伍子。他说小伍子和自己一个德性。

天津战役结束后，部队暂时在山海关有一个时期的休整。部队放几天假，父亲就显得没事可干，这遛遛那看看，父亲不管到哪儿，小伍子总是不离左右。

一天晚上，两人躺在炕上就说到了吃，那时部队整日打仗，饥一顿，饱一顿的，肚子里没啥油水。一说到吃，马上引起了两人的共鸣。小伍子吧唧着嘴说：要是能吃碗肥猪肉该多好哇。

小伍子来了兴致，趴在父亲身边说：团长，你能吃几碗？

父亲想了想说：大海碗，能吃两碗吧。

小伍子说：团长，我能吃三碗。

父亲说：吹牛。

小伍子说：不信咱比试比试。

父亲说：你要是输了怎么办？

小伍子说：我要是输了，打仗的时候我不管你三次，你爱去哪去哪。

父亲兴奋了，爬起来和小伍子击了掌。

第二天，部队接到了开拔的命令，因此，各部队都要改善伙食，父亲所在的团部，也买了一头猪杀了。有了猪肉，父亲就和小伍子赌了一回吃。肉是炊事班长盛的，满满两大海碗，肉上面撒着蒜沫，又浇了一层黄酱。父亲看了眼小伍子，小伍子又看了眼父亲，两个便开吃，第一碗，两人吃得风卷残云，连头都没抬一下，而且吃出了肉的滋味。

父亲把空碗递给炊事班长时，还抹了一下嘴说：好久没有吃到这么香的肉了。小伍子一边嚼着肉，一边在嘴里唔唔着，同时也把空碗递给了炊事班长。

两人吃第二碗时，速度明显慢了下来，你看我一眼，我看你看一眼，半晌之后，第二碗吃下去了，父亲打了个嗝，把空碗又递给炊事班长，小伍子随后也把碗递给了炊事班长。父亲扭头冲小伍子说：还吃不吃。

小伍子若说不吃，那就是输了，小伍子不服输的，便梗着脖子说：说三碗，就是三碗。父亲就冲炊事班长挥挥手，炊事班长就又去盛肉去了。

第三碗肉父亲吃得异常痛苦，一边吃一边骂小伍子：你这小子，尽吹牛，你吃，你吃。父亲一边说话一边顺着嘴巴子流油。

小伍子也异常痛苦，但他却笑着，故意气父亲：团长吃不下就算了，反正我还能吃。

第三碗吃到一半时，父亲说什么也吃不下去了，把碗推到一边，看着小伍子把自己那半碗像咽药似的吃了下去。

接下来的事情可想而知，那一晚，肥肉撑得两个人睡不着，两人托着肚子孕妇似的在院子里转着圈走。后来口渴，两人又喝了几碗凉水。后半夜，两个人便逃命似的往茅房里跑。父亲一边跑茅房一边在心里骂：小兔崽子，看以后怎么收拾你。

小伍子一边跑茅房一边在心里乐。

第二天，部队出发时，父亲被折腾瘦了一圈，腹泻仍没止住，队伍向前开进，父亲需要打马扬鞭地找僻静地方解决拉肚子问题，小伍子也是。有时父亲刚回到队伍中，小伍子又急三火四地往路旁的草丛里钻。气得父亲大骂：你他妈蹲地那儿拉吧，就别回来了。知道事情真相的人，就哈哈大笑。

父亲这个团是尖刀团，没走多一会儿，就和敌人遭遇了，于是开战。父亲自然奋不顾身地往第一线冲，小伍子不离父亲左右，奋不顾身地往下拉父亲，两人在阵地上撕撕巴巴争执着。

这一仗从下午一直打到晚上，敌人才开始退却。几个小时过去了，枪声一停，父亲突然想起拉肚子的事，几个小时竟没拉一次肚子。父亲这么一想，又感到内急，又慌慌地找地方方便。小伍子也似受了传染，也随着父亲方便去了。两人蹲在一个弹坑旁，父亲说：日怪，打仗时咋不拉肚子。小伍子也说：邪了，枪声一停又来了。

两人提上裤子，你看我一眼，我看你一眼，突然大笑了起来。

三大战役结束后，部队暂时没什么仗可打了，父亲的部队又被调回到了东北。东北的深山老林里仍盘踞着不少土匪，当辽沈战役打响时，捞到实惠最多的就是土匪了，当时谁也没顾上这一群一伙的土匪，当时国民党撤退时，遗弃了不少武器弹药，土匪们借着情况熟悉，捞了不少武器弹药，土匪们的武装就今非昔比了。

这些土匪都是一些亡命徒，国民党在时与国民党为敌，借着地形熟悉，又加之山高路险，国民党也拿他们无可奈何。

现在他们又轮到与共产党为敌了。因此，父亲的部队得到了收剿土匪的命令。第一仗父亲就碰上了一个钉子，一伙土匪，据说有百十号人马，占据着大孤山，土匪头子叫胡占山。山高路险，父亲的部队几次进攻都没有能拿下来，父亲还从来没有打过这样别扭的仗，脱光了膀子，抢了挺机枪向山上一阵狂扫。土匪们躲在暗处，父亲的进攻自然收效不大。大部队一连围困了土匪七天，也不见土匪下山投降的迹象，急得父亲团团乱转。

正在这时，小伍子报告父亲，说是山上有一个小匪要见父亲。父亲见到了那个小匪，那小匪捎来胡占山的话，说是久闻父亲的大名，要投降可以，但有个条件，一定让父亲单枪匹马上山去谈判。

父亲当下就答应了这小匪，并放他回山上去回话。小匪一去，众人急了，说什么也不让父亲一个人上山。最着急的还是小伍子，他撸袖子挽胳膊地说：团长你不能去，要去，我自己去。

父亲知道要想说服这些土匪，自己不亲自出山是不好办的。说服众人容易，因为他是团长，他的话就是命令；可想说服小伍子那并不容易，小伍子是他的警卫员，保卫他的安全是小伍子的责任。

那天，父亲在小伍子面前没有说什么。第二天一早，父亲一个人偷偷地出发了。还没有来到小孤山，父亲就发现了小伍子，小伍子腰里别着双枪，手里还拿了一把砍山刀。父亲知道这样带小伍子去，一定谈不成，说不定还没走到土匪窝里，就被土匪暗枪给算计了。父亲无论如何不能带小伍子去。父亲就立住脚，等小伍子走近，生气地让小伍子回去，小伍子自然不回去。

两人便仇人似的相向站在山坡上。

小伍子说：要么带上我，要么你就回去。

父亲说：我不回去，你回去。

小伍子说：团长，这帮土匪啥都干得出来，我不在咋行？

父亲说：我说一个人去就一个人去。

……

两人互不相让，于是两人就那么仇视地对望着。父亲知道，不制服小伍子自己就不能上山，不上山，土匪就不会投降。想到这，父亲向小伍子扑去，小伍子明白了父亲的用意。他也想制服父亲，只有那样才能保证首长的安全。两人就真刀真枪地干上了，一会父亲把小伍子放倒了，一会小伍子又占了上风，两人撕巴了好长时间，父亲终于制服了小伍子，并用小伍子的腰带把小伍子的手脚捆了起来。

小伍子就绝望地喊：团长，你不能去呀。

父亲拍拍衣服走了，他回头看了眼小伍子，父亲说：

等我回来。

小伍子用绝望的目光望着父亲。

胡占山早就拉好了架式等父亲了，其实父亲早就出现在小胡子们的视线里了。父亲径直被小胡子领进了一个山洞。阴森森的山洞使父亲一连打了几个冷颤。

刚一进洞口，一个黑大汉一把抓住了父亲的手，亮着嗓子说：石团长，有种。俺早就想见你一面，你打蒋介石打出了名。俺佩服英雄。

父亲断定这人就是胡占山。

父亲挣脱那人的手道：不知叫我来有何贵干。

胡占山一挥手，顿时有人捧着一坛子高粱烧酒走过来，还有人手里提了一只鸡。胡占山接过鸡，从腰里拔出刀，一挥手就把鸡的脖子抹下去了，然后把鸡血倒进酒坛子里，又倒出两碗白酒冲父亲说：石团长，干。

父亲只好接过酒，一饮而尽。

胡占山抹着嘴说：石团长，果然豪气。我这人就服从比我强的。

父亲笑一笑，这时又有小伙子，倒上了第二碗，父亲一仰脖又干了。

胡占山又说："我们降你心服口服，你能一个人来山上，说明你这人有胆量。我胡占山今天算是开了眼了。明天，我一准带人下山。"

正说着，洞口一阵大乱，还没等父亲明白过来，只见小伍子光着膀子，右手握着枪，左手也握着枪，奋不顾身地冲了进来，几个把门的小匪被他冲得七零八乱，东倒西歪。

小伍子看见了父亲，长嘘了一口气。

胡占山也明白了什么，端着碗酒走到小伍子身旁说：这位兄弟义气，我说石团长咋老打胜仗呢，原来是好汉手下没弱兵呀。

那天晚上，父亲和小伍子就留在了山上，胡占山设宴招待了他们。父亲和胡占山两人都喝得大醉，小伍子任胡占山好话说尽，一口酒也没碰。他手持双枪一直站在父亲身边。

第二天，父亲带着胡占山和众土匪往山下走时，看见一团的人马已经把小孤山围得风雨不透了。还有一个炮营在准备试射。他们不知父亲的安危，父亲不下来，他们马上就要杀上山来了。

五

老年的父亲，一直期盼的那个人就是警卫员小伍子。

当年的小伍子，一口气给父亲当了十三年警卫员，一直到战争结束。后来小伍子到营里当了名副营长，后来又当上了团长，不久，小伍子就转业回到了地方。

小伍子给父亲当警卫员的十三年时间里，他们的友谊被传为佳话，广泛在部队里流传。有些事情，许多人都不相信会是真的，但的确发生了。

父亲的部队解放天津的时候，父亲接到了一个棘手的任务，那就是让他处理那些无家可归的妓女。都新社会了，妓女这行当，伤风败俗不说，重要的是影响社会治安。那时天津大小妓院不下十几个，暗娼就不用说了。

那时父亲还没有结婚，面对着百十号老老少少的妓女们，他感到头疼，也感到震惊。这些女人每日里和男人打交道，从早到晚就是床上那点事，她们看男人时，目光是麻木的，也带着挑逗。父亲一出现在妓女们面前时，就有妓女说：长官，别假正经了，咱们来一把吧。父亲在生死面前毫不含糊，说冲锋就冲锋，可面对妓女，他一点脾气也没有了。听了妓女们明目张胆挑逗的话，他顿时脸红脖子粗的。随在父亲身后的小伍子断喝道：不许胡说，我们首长可不是那样的长官。

又有妓女说：是男人都一样，要不你来一把也行，然后放我们走，你们该干啥干啥，我们干啥你们也别管。

小伍子在女人面前也明显得经验不足，和父亲一样红头涨脸地说：你们，你们……小伍子已经说不下去了。

回到办公室的父亲，气得把枪摔在椅子上，他一脚踩着凳子，一口气喝光了一碗白开水，然后大骂：一群猪，一群狗，要是不怕犯错误，老子真想一梭子扫了她们。

气话归气话，父亲是不能干犯错误的事的。上级也知道，这些妓女不改造好，放入社会将来还是个隐患，于是就命令父亲给这些妓女办班。父亲就给这些妓女办班，先把她们集中到一个操场上，周围是放哨的士兵，中间放了张桌子，桌子后面坐着搞宣传的干事。干事都很有文化，写了讲稿，讲稿的题目是：重新做人。宣传干事讲了一通新社会的妇女要自珍自重等话题。妓女们没人把宣传干事的话当真，她们坐在操场上，嘀嘀咕咕，冲周围的士兵挤眉弄眼，有两个年龄大的妓女，不知羞耻地亮出了自己白花花的奶子，看得士兵们低下头去。宣传干事看自己起草的稿子不见效果，便念毛主席的将革命进行到底！部队学习毛主席这篇讲话时，个个都群情激奋，热血呼呼地在身体里流淌，让人们想喊想叫，但把这篇著名的讲话念给妓女们听时，她们仍然无动于衷，有个妓女，当众扒下裤子在操场上撒尿，引来众妓女母鸡下蛋似的笑声。

父亲终于忍不住了，他掏出枪，冲着天空就是三枪，这下把妓女们震住了，她们一时不明白发生了什么，很惶然，也很惊悚地望着父亲。父亲说：你们别给脸不要脸，你们想咋地。妓女们不想咋地，关键是她们没有这个觉悟。

父亲在妓女面前显得束手无策，最后他想出一个招来，那就是军管。把妓女们集合起来，像军人似的站成队，让士兵们操练他们，为了增加气氛，父亲集合起所有的部队，荷枪实弹地站在一旁。

妓女们刚开始有些害怕了，她们不知道部队要怎么处置她们。刚开始，操练她们的士兵让她们往东，她们不敢往西。一时间，妓女的队伍竟走出了几分模样，父亲觉得有些满意，掂着手里的盒子枪，冲小伍子笑了。小伍子见父亲开心，他也很愉快。

几日下来，妓女们又我行我素了。她们见部队并没拿她们怎么样，好吃好喝地伺候她们，她们又放松了下来，于是把队伍走得稀里哗啦，败叶残柳。

部队没时间和这些娘们磨洋工了，一个命令下来，遣返这些妓女。有些妓女有家的，家在解放区的还好办，有部队出路条，给路费；那些家不在解放区的，又没家的就不好办了。细究起来，这些妓女们大都是穷苦出身，有的是为了还债，卖给妓院，有的是被人拐来的，不管出于什么，她们一到了妓院做起妓女的行当，就全不顾廉耻了。

妓女们被遣返了一批，还剩下一些没着没落的妓女不好处置，于是上级又来了命令，在报纸上登广告，有意娶这些妓女为妻的，政府可赠大洋五元，作为安家的费用。一时间很多人都来娶妓女。这些人，有许多想法，有的是真找不到老婆的，还有的人是冲着那五块大洋来的，更多的人是抱着好奇的心理。

政府为了本着对妓女负责的精神，对每个前来的男人都要面试，回答几个问题，才能让他们领人。这些男人都被叫到父亲面前。

父亲问：你没老婆？

男人答：没有，真的没有。

父亲又问：你愿意娶这样的女人？

男人又答：愿意，真的愿意。

父亲还问：是真心的？

男人再答：我都打了半辈子光棍了，有个女人肯嫁我，我就是下辈子当牛做马也值了。

　　父亲挥挥手，有人就带着这个男人去选妻子了，男人在妓女面前走一遭，再走一遭，他们平生还没见过这么多漂亮女人。他们眼热了，心跳了，妓女在他们眼前个个赛天仙。先不说妓女们有多漂亮，单是妓女们的打扮，他们就没有见过。在他们眼里，妓女们个个穿着洋气，又烫发，又戴戒指的。他们看花了眼，然后随便地指着一个妓女说：我就要她了。

　　那个妓女便被带了出来，又领到父亲面前。父亲说：你愿意和他成亲吗？

　　妓女有时点头，有时摇头。点头就算成了一对，摇头的，再让男人去挑。这些妓女们对自己的未来已没有更高期望了，几年，十几年的皮肉生活，多多少少的她们都积攒了一些私房钱，有男人肯娶她们，过日子，她们就心满意足了。她们一般不挑剔男人，只要觉得男人还年轻，有一把子力气，人又忠厚，就称了她们的心。

　　找到了合适女人的男人，一手拿着大洋，一手牵着女人，呼着"共产党万岁"的口号欢天喜地走了，过日子去了。

　　在处理妓女的过程中，小伍子找到了父亲。不是小伍子看上了妓女，而是他替他哥哥走个后门，看能否有希望让他哥哥也来挑一名妓女回家过日子去。

　　小伍子是中原人，中原闹灾时，他们一家逃荒到了河北，在逃荒的路上，父亲就得瘟疫死了。就剩下他和哥哥，那年他才十岁，哥哥十五岁。哥哥靠给东家打工养活着小伍子。十五岁的时候，小伍子参军了。哥哥现在还是一个人呆在家里，这么多年了也没什么积蓄，讨不起老婆，三十来岁的人，还打着光棍。

父亲听完小伍子叙说，便一拍大腿说：你咋不早说，怕是好的都被人选走了。

小伍子得到了父亲的首肯，一面通知哥哥来天津领人，一面和父亲一起为哥哥选女人。

选来选去，父亲替小伍子的哥哥选了一个女人，这人叫小凤，家是南方人，今年二十一，她是被一个远方亲戚拐到天津被卖到妓院里来的，她到天津已经四五年了。刚开始。父亲并没注意到小凤，她一见人就低头，不像别的妓女见到男人就说骚话，她在父亲面前知道脸红、低头。父亲觉得小凤这人行。

很快小伍子的哥哥就来了，领了小凤，领了政府发给的五块大洋欢天喜地地走了。那次，小伍子的哥哥冲父亲说了许多感激的话，当然也跟多年不曾谋面的小伍子说了许多私房话。

哥哥领着女人走了，小伍子的心也踏实了。后半生的哥哥总算有着落了。那些日子，小伍子很高兴。

没几日，父亲突然接到一份报告，说是在天津不远郊区一个山洞，发现了一具女尸，从穿着打扮上看，这女人很像是父亲部队改造过的妓女。妓女出事，父亲是有责任的，马上就派人调查此事，结果确认那妓女是小伍子哥哥领走的小凤。很容易看出，小凤是被人陷死又扔在山洞里的。小伍子的哥哥被带到了部队，小伍子的哥哥很快就招了，他是图财害命，杀了小凤，把小凤随身的细软都卷跑了。这件事影响很坏，给妓女们下一步教化工作带来了难题。上级很气愤也很震惊，下令，把谋杀小凤的人枪毙以示警诫。

得到这个消息后，小伍子哥哥哭了，小伍子也哭了，小伍子最后一次去看哥哥，哥哥说了许多后悔的话，但也说出了真话，他说：小伍子，哥咋地也不能娶个妓女给你当嫂子呀，哥就是为了她的钱。有了钱，哥就能给你找一个清白的好嫂子。

小伍子一边哭一边说：哥，你好糊涂哇。

命令就是命令，小伍子的哥哥马上就要枪决了。枪毙小伍子哥前，小伍子突然找到父亲说：团长，让我去执行吧。

父亲怔住了，他望了小伍子半晌，小伍子也望着父亲，此时，他眼里已没有泪水，有的只是仇恨。父亲点了点头。

枪毙的现场很隆重，因为这件事惊动了整个天津，执法也自然要隆重些，以正压邪。

行刑地点就在训练过妓女的操场上，小伍子的哥哥一被带上来，他便呼天喊地地说自己后悔了，不该干这丧良心的事，一切都已经晚了。小伍子站在哥哥的身后，举着一支枪。小伍子脸上没有表情。哥哥回头看了眼弟弟，白着脸说：弟呀，你真下得去手嘛，当年我有一个饼子分你半个。

小伍子说：哥，别说这些了，这我都知道，你还有啥就说吧。

哥说：弟呀，我死了，你每年给我烧些纸吧。

小伍子点了点头。

哥又说：哥后悔呀。

小伍子望着哥的白脸。

哥还说：弟呀，我在那边等你，到时咱们还是兄弟。

父亲在一旁听着，眼睛也湿了，他担心小伍下不了手，正准备换人。这时，小伍子手里的枪响了。

那次，小伍子和父亲抱在了一起，小伍子呼天喊地地说：团长，这世上从此没我的亲人了。

父亲打断小伍子的话说：胡说，我就是你的亲人。

从此，父亲把小伍子当成了亲人。

年老的父亲回忆起当年这一段，仍然心绪难平，他夜思梦想地想见到小伍子，因为小伍子是他出生入死的战友、亲人。

六

小伍子救过父亲的命。

父亲在东北收编土匪时，真正地打了一仗。在东北九台县，有一股号称陈氏三虎的土匪，这股土匪，是陈姓的三个兄弟组成的，老大陈大虎，老二陈二虎，老三陈三虎，号称东北三虎，手下有几十个七七八八的小土匪。陈氏三虎在九台一带民愤极大，吃大户、绑票什么事都干，最可气的是，三个兄弟经常轮奸平民百姓的女人。他们不分老幼，只要有些姿色的让他们发现了，想方设法捞到手里，三个兄弟以抓阄的形式分出先后，然后轮流强奸女人。每次抓到的女人，掳到自己的山上，呆的时间长短不等，这要看三个人的情绪，玩出兴致了，就多玩些日子，没什么兴致，三两日便把女人放了。

每次陈家兄弟都很讲义气，都不让女人空手下山，或在女人兜里装两块银元，或背一袋米回家，总之，不让女人空手下山。这些女人的命运可想而知，有些烈性的女人，还没走到家里便向一条河跳进去，随波逐流了。也有的女人，上有老下有小，忍气吞声地活下来，整日里以泪洗面。一时间，九台县地面上鸡犬不宁，女人听到陈氏三虎的名字，恨得牙根发痒，许多年轻女人，或有些姿色的女人，头不梳脸不洗，以一幅人不人鬼不鬼的形象过着生活。

父亲剿匪进入九台县之后，便有许多女人男人找到父亲的部队哭诉，字字血，声声泪的，听得父亲一愣一愣的。父亲就背着手，气得直哼哼。一旁的小伍子，也把牙齿咬得咯咯响。父亲很快下了决心，要以最快的速度铲平这股土匪。

当时上级对待这些土匪有个政策，那就是团结大多数，铲除一少部。能收编的收编，不能收编的，就地解散，少数罪大恶极的，可以就地正法。

陈氏三虎这股土匪与别的土匪有些不太一样，他们没把共产党的部队放在眼里。当年国民党部队曾围剿过他们。他们一不跑二不逃，就驻扎在陈家大院里。那个陈家大院被这股土匪经营得堡垒一样，有土围子，有炮楼，还有暗堡什么的，可以说这一切机关暗道，陈家大院里应有尽有。

当年国民党部队用一个团的兵力，围着陈家大院打了七天，愣没把陈家大院打下来，为此还死了几百名兄弟。那一仗，陈家大院的土匪才死了三个人。

陈氏三虎在大院里屯积了足够吃一年的粮食，因此他们心里很有底数，自然没把父亲的部队放在眼里。他们要和父亲决一死战。

父亲的部队是在掌灯时分把陈家大院围上的，然后派人上前去喊话，说是喊话其实就是做思想工作，交待一些政策，让他们举手投降，从轻发落等。

陈氏三虎也轮流向外喊话，他们的话语轻蔑而又张狂。他们说：姓石的你们听着，别跟我们扯犊子，有能耐你就攻上来，要是输了给你牵马提鞋，别的，你少扯。

他们还说：不怕死的就来吧，装什么相。

……

父亲就火了，三个营的兵力，分梯次排布在四周，父亲大小仗打过不下百次了，他不信就这一股小土匪，就这么个土围子拿不下来。父亲一挥手，喊了声：打。于是就真刀真枪地干上了。三个营的兵力，千百号人，一齐射击，枪声就听不出个数了，刮风一样，疯叫成一团，火光四起。就这样一直打到天亮，部队没能前进一步。在这期间，部队打过几次冲锋，都被胡子们给压制住了。父亲的部队射击时，他们并不还手，躲在暗道里观察动静，只要部队往前进攻，进入他们的射程，他们才还击，他们个个都是神枪手，百发百中，一夜下来，部队就死伤几十人。

父亲的汗就下来了，他知道自己遇上对手了。父亲围着土围子转了一圈又转了一圈，小伍子自然不离父亲左右，他用身体护卫着父亲，父亲用手不停地扒拉着小伍子，小伍子就用肩膀扛父亲，有几次差点把父亲扛倒。父亲就急赤白脸地说：都啥时候了，你还跟我整这套。小伍子不管那套，保卫父亲的安全是他的职责。好在，土匪们并没有打黑枪。转了几圈的父亲，心里有了底数，他让人准备炸药，天黑的时候，他又轮番让部队佯装进攻，另一部分人，就在脚底下挖洞子，那洞子一夜之间就往前推进了几十米。白天睡觉，晚上又一面进攻一面挖洞。几天之后，约摸那洞子挖到陈家大院下面了。父亲才让人往洞子里填炸药。填好炸药后，是某一天的凌晨，部队一下子不打了。一切都沉寂了下来。陈氏三虎被父亲的举动弄愣了，不知发生了什么。

父亲又派人开始喊话：给你们最后一个机会，快出来吧，要不然，你们就没命。

陈氏三虎等土匪自然不听这一套，他们想父亲的部队一定是没招了，才说这样的话。

陈氏三虎等人就冷笑着说：拉倒吧，你们回家抱孩子去吧。

父亲站在清晨的微光中，冷笑了两声，他挥了挥手，部队便往下撤了，一切都按照计划行事，显得有条不紊。

陈氏三虎以为父亲部队真要撤了，于是又张狂地喊：别急着走哇，大爷为你们送行了。于是，从土围子里射出一排子弹，这是最后一排子弹，接着只听到惊天动地的一声响，陈家大院在烟尘中，顿时灰飞烟灭了。

父亲的部队喊杀着冲进了残破的陈家大院，这一炸，陈家的三兄弟，老大老二被炸上了天，惟独剩下了三虎，他从烟熏火燎的土里爬出来，当即被俘虏了。

因陈家三虎罪恶多端，父亲决定枪毙三虎。小伍子等人把三虎带到了父亲面前，父亲要亲自问话，他觉得陈家三兄弟虽罪恶多端，但敢作敢为，就这么个土围子，让他打了四天，也算得上是个对手了，只要是对手，父亲就欣赏。

三虎面不改色心不跳的样子。

父亲说：你不怕死？

三虎说：怕死有啥用，人不早晚得一死，二十年后，我还是条汉子。

父亲对三虎这种毫无惧色的样子，有些感动了。父亲欣赏这样一个不怕死的硬汉，父亲动了收下三虎的念头，要是有这样一个不怕死的汉子为自己冲锋陷阵，父亲一定会感到很快慰。父亲说：我要是不杀你，愿不愿意参军？给你个重新做人的机会。

陈三虎刚开始还瞪着眼睛，后来他就低下了头，算是默认了。陈三虎于是成了父亲部队的一名士兵。

为此，小伍子曾提醒过父亲：团长，这人咱不能要，咱们杀死了他两个哥哥，他能跟咱们一心？

小伍子没什么证据，完全凭的是直觉。

父亲没把小伍子话当真，他想，先让三虎在部队里锻炼一番，说不定，以后还能当个尖刀连长什么的。

后来果然就出事了。

淮海战役的一次阵地战中，陈三虎朝父亲打了黑枪。父亲这次又到前沿阵地指挥了，敌人攻得很猛，阵地丢了几次，又重新夺了回来。父亲根本没有注意到陈三虎。小伍子看到了。父亲他们路过陈三虎那个班时，陈三虎抬了一次头，小伍子一望见陈三虎的目光便打了个激灵，心里就觉得有什么地方不对劲。

陈三虎觉得时机已到，他想，趁乱打死父亲，替两个哥哥复仇，那时，兵荒马乱的，没人会想到是自己人干的，那时阵地已被敌人围住了。

小伍子完全是下意识地在陈三虎枪响时向父亲靠了一步，结果那一枪让小伍子挨上了。小伍子在倒地的瞬间，看到了陈三虎以及陈三虎收回的枪，他手里的枪也响了。陈三虎哼都没哼一声，脑袋便开花了。

那一枪差点要了小伍子的命，子弹从肺叶中穿了过去。小伍子住了两个月的医院。那一次，父亲抱着小伍子的头，流下了眼泪。

七

　　天下没有不散的宴席，给父亲当了十三年警卫员的小伍子，终于离开了父亲。在这期间，父亲动过多次让小伍子下部队的念头，他总觉得把小伍子留在身边可惜了，应该让他到大风大浪里接受锻炼。可事到临头，父亲又舍不得了，小伍子更是不放心父亲。父亲张罗着让他离开时，小伍子也试着挑了几个接自己班的人选，这些人选都是从班排连的士兵中层层挑选出来的，先在小伍子的带领下，在父亲身边干了些日子，名曰考察，可考察的结果，总不能让小伍子满意，不是话多了，就是话少了，要么就是父亲的东西放在什么地方，一时又找不到，总之，在小伍子的眼里，这些人没有一个合格的。父亲自然也感到别扭，不停地发脾气。小伍子就说：拉倒吧，我不走了。这句话正合父亲的心意，于是小伍子就不走了，几次三番之后，小伍子一直在父亲身边呆了十三年。

　　先是打完了三大战役，最后剿匪也结束了，本以为天下太平了，那些日子小伍子准备离开父亲，父亲也准备让小伍子走，部队都找好了，让小伍子去连队当连长。正在这时，朝鲜战争爆发了，一切计划又落空了，父亲又带着小伍子去了朝鲜。风风雨雨的在朝鲜又战斗了几年。终于回国了。此时，父亲已经是军区的参谋长了。和平年代的父亲，身边一下子多了许多人，秘书，参谋，公务员，小伍子这个警卫员显得就不那么重要了，他每日里仍全副武装地出现在父亲面前。可小伍子已经是英雄无用武之地了。父亲终于意识到，该让小伍子走了。小伍子也知道，他再留在父亲身边已经不合时宜了。

那天晚上，父亲举行了一个家宴为小伍子送行，母亲特意提前一个多小时从文工团回来，为两人做了一桌的酒菜，父亲特意交待母亲，一定要做两碗白肉，多切蒜沫。母亲也知道小伍子和父亲的情谊，如果没有小伍子，父亲说不定已经死过几次了。

父亲和小伍子一上桌就看到了那两碗白肉，父亲说：小伍子，干吧。

两人就先埋下头唏里呼噜地吃肉，吃到一半，小伍子抬起脸来，已经是泪流满面了。白肉让他们想起了当年。

父亲的眼里也泪眼朦胧了，父亲把两个人的杯子倒满了烧酒。父亲说：干了它。

两个人咕咚一声又把酒干了。

父亲说：伍子，你就是我老石的影子，明天你走了，我的魂就没了。

小伍子说：首长，你是我的主心骨，我走了，就没主意了。

父亲说：瞎说，你还是军人，啥时候想见我，家里的门永远向你敞开着。

小伍子就左抹一把泪，右抹一把泪地说：首长，我舍不得你呀。

父亲放下杯子，豆大的泪滴也滚落下来，两人就抱头痛哭了一回。一旁的母亲看到此情此景也是泪眼朦胧了。那天晚上，小伍子就睡在了家里，他和父亲躺在了一张床上。战争年代，两个人一直这么睡过来的，那时小伍子浑身上下的每根神经都是醒着的，只要父亲一有动作，他总是能及时醒来。

现在用不着小伍子这么灵醒了，两人就漫无边际地聊天。

小伍子说：等再打仗时，我随时出现在您的身边。

父亲说：伍子，我会想着你的，你放心。

小伍子说：首长，我舍不得离开你。

父亲说：你岁数也大了，也该成家生子，过日子了。

小伍子说：首长，我会想你的。

父亲说：明天我会送你。

……

第二天，父亲果然送小伍子下部队了。出发是很隆重的，两辆吉普车载着父亲和小伍子走了。一个警卫员到部队任职，还从来没有这么隆重过，别说小伍子现在是位副营长，就是师长去任职，也从没有这么隆重过。小伍子任职那个部队就是父亲当年带的那个团。父亲把小伍子放在自己的老部队，心里踏实。

小伍子离开父亲刚开始那几日，父亲真的是丢了魂似的。上班时，公文包明明就放在茶几上，他非得去柜子里翻找，到了办公室，茶杯里的水，不是热了就是凉了。于是，他就喊：伍子。

公务员就应声进来了，父亲这才恍过神来，忙冲公务员说：小李，麻烦你，给我沏杯热茶。

公务员小李不知父亲为什么这么客气，忙去倒茶去了。

那些日子，父亲真的感到很别扭。

小伍子经常来看父亲，一来就和父亲说部队下面的事，父亲就很感兴趣地听。有时候小伍子来不了，会把电话打到办公室或者家里和父亲谈上一会儿。说完部队的事，父亲就说：伍子你也老大不小的了，该成个家了，要不我给你张罗？

小伍子忙说：不用，不用，到时我找好了，请首长过目。

不久，小伍子果然把一个浓眉大眼的姑娘带到了家里，父亲上眼下眼地看了姑娘一眼说：中，我看就是她了。

小伍子也咧着嘴说：那就是她吧。

这姑娘是搞妇女工作的，在区里很活跃。小伍子是经人介绍认识的，有了父亲这句话，小伍子很快就结婚了。

小伍子后来又当上了团长。不久，赶上部队整编，小伍子便离开了部队，转业回了老家。那时小伍子已经有两个孩子了，手牵一个，怀抱一个，来向父亲告别。

父亲就说：伍子，到了地方好好干。

小伍子说：首长，我舍不得离开部队，舍不得离开你。

父亲背过身去。部队整编，他也想过小伍子的出路，试图把小伍子安排到别的部队，可别的部队那些团长，资历都比小伍子老，动哪个都不合适，这时父亲后悔是自己耽误了小伍子，要不是为了自己，让小伍子早到部队摸爬滚打的，也就有了资历，现在说什么都晚了，只能让小伍子走了。

小伍子终于离开部队，回了老家。

不久，小伍子就来信说，自己回到老家的县里，当上了书记。父亲得到这个消息，很高兴，吃白肉，喝烧酒，自己把自己给灌醉了一次。从那以后，小伍子三天两头给父亲来信，谈地方上的事，小伍子每前进一步，父亲都为小伍子感到高兴，每封信小伍子都说自己想念部队，想念父亲。父亲又何尝不想念小伍子呢，有时父亲做梦还喊着：小伍子，牵马来。父亲的记忆仍停留在战火纷飞的战场上。

这么想着小伍子，小伍子突然在一天夜里敲开了家门。父亲被眼前的小伍子吓坏了。小伍子人不人鬼不鬼的出现在父亲面前，他头发蓬乱，衣衫破碎。小伍子一见父亲就说：首长，救我。

父亲不知道，一个县委书记怎么弄成了这样。原来一帮造反派，造了县委的反，把小伍子抓了起来，并说他手里有人命，是他和哥哥当年联起手来，杀了那个妓女。造反派要就地正法小伍子。现场都准备好了，召开一个全县公审大会，小伍子得知这一消息，头天夜里就跑了。小伍子毕竟当过父亲十三年的警卫员，他是个训练有素的军人，借着夜色，他一口气跑出了县城。白天他不敢走，只有等到晚上，他扒火车，昼伏夜行，跑出县城的第一个念头就是投奔父亲，他知道，只有父亲才能救他。

父亲听了小伍子的遭遇，也火了，他一拍桌子道：没王法了，你就住在我这，看他们能把你怎么样？

小伍子就住在了军区大院里，没多久，那些造反派打听到了小伍子的下落，先是派人，拿着公函来和父亲交涉。父亲连这些人见也不见，把送进来的公函，几把就揉碎了。

后来造反派见软的不行，就来硬的，来了十几辆卡车，拉来了几百号人，这些人手里都拿着枪，他们要到军区大院把小伍子抢走。

父亲一见这阵势，也火了，立马叫来警卫团长，让他带人去对付这些造反派。有了父亲的命令，警卫团长胆也壮了，他带了一团人来了一个反包围，把这些造反派团团围住了，并命令他们半小时内撤出军区，否则，后果自负。警卫团还朝天上放了一阵空枪。这些造反派哪见过这个阵势，不到半小时就屁滚尿流地跑了。

小伍子倒是安全了。家里人又被造反派当了人质。父亲得到这一消息后，在办公室里转了三圈，他亲自打电话，叫来了侦察连长，如此这般地面授计策，侦察连长得令去了，带了一个班，潜进小伍子老家的县城，没几日就把小伍子一家人偷了出来。

从此，小伍子一家就住进了军区大院，父亲派人收拾出两间房子。小伍子一住就是几年。后来人们就有意见，父亲听了意见就说：伍子是咱们部队出去的，咱们不管谁管。父亲这么一说，就没人再说什么了。

直到地方局势稳定了，小伍子又可以回去当书记了，父亲才送小伍子走。小伍子走时，抱着父亲大哭了一场，一边哭一边说：首长，是你救了我，救了我一家呀。

父亲说：伍子，别说这话，当年你救我多少次你还记得吗?

从此，父亲和小伍子的感情又加深了一层。没有淡化，反而又加深了。

先是父亲离休了，住进了干休所。后来小伍子也从地区专员的位置上退了下来。闲下来的两个人，长时间地泡在电话前，说一些陈芝麻烂谷子的旧事。说着说着，两个人就动了感情。

小伍子就唏嘘着说：首长，我想你，也想部队呀。

这么多年了，小伍子一直把自己当成部队的人，他的梦都留在了部队。

父亲说：伍子，现在没事了，真想和你在一起。

小伍子说，首长，孩子大了，去了国外，不需要我费啥心思了；老伴身体不好，等我一身轻了，我就去找你。

小伍子的孩子很有出息，一个去了加拿大当律师，一个去了美国加州读博士。当年那个浓眉大眼的姑娘，现在身体是一天不如一天了，先是半身瘫痪倒在了床上，后来又得了哮喘病。小伍子一心记挂的就是老伴了。

父亲在母亲去世后，一直不希望孩子们回到身边的原因就是，他在等待小伍子。老年的父亲，时常让自己的思绪在青春年少的时光里荡漾。他怀念过去，怀念青春，怀念那战火纷飞的岁月，回忆和战友的情谊。只有小伍子来到父亲身边，父亲的生活才是完整的。小伍子会让父亲感到青春时光真实可信。

父亲一天天地盼着。

小伍子不时地把老伴的病情通报给父亲。

小伍子说：又去医院急救了一次。

小伍子还说：看来老伴真的是不行了。

父亲觉得小伍子就近在咫尺了。

两人这种心理，多少有些罪恶感，他们似乎都盼着小伍子老伴快点离开人间，好让他们相聚。可两个人又都没有意识到这种罪恶。

终于，小伍子老伴去了。小伍子急不可待地终于出现在父亲面前。

小伍子出现在父亲面前是一天早晨，小伍子背着一个包，一步步向父亲走来。父亲拄着拐棍立在门前，他看清了小伍子，奇迹出现了，父亲扔掉了拐棍向小伍子走去。

父亲说：伍子，真的是你，可把你盼来了。

小伍子说：首长，我来了。

四目相视，他们都泪眼模糊了。

两人跟失散多年的亲人似的，重新又聚在了一起，从此，他们掀开了生活的新篇章。

小伍子的到来，使父亲一下子年轻了起来，以前走路都需拐棍支撑的父亲，不仅扔掉了拐棍，还让干休所的人们，重又看到了父亲舞刀弄枪的身影。刀还是那把东洋刀，枪自然也是那二十响的盒子枪，父亲的身手明显不如以前了，但父亲毕竟又举起了刀枪。

每天早晨，小伍子背上挎着刀，手里提着枪，陪着父亲来到草地上，父亲伸出手，小伍子便把刀递给父亲，父亲看着白生生重新被小伍子擦拭一新的刀，就很满足的样子。父亲就舞刀，一会儿，又一会儿，父亲气喘了，便收了刀，小伍子接了过来，随手把枪递给父亲，父亲又眼花缭乱地玩那把枪了。

小伍子就在一旁叫好。

老尚等人也今不如昔了，身体已是江河日下，老尚拄着拐棍，老眼昏花地走了过来，看了眼父亲，又看了眼父亲，终于看清了父亲，便惊诧地说：老石，枪又舞弄上了，我看你是越活越年轻了。

父亲就说：老啦，要是早十年……

父亲的后半句话就不说了，老年的父亲也不愿提当年勇了。

小伍子毕竟比父亲年轻，父亲舞枪弄刀时，他一直在旁站着，做出随时接应父亲的准备。虽然父亲老胳膊老腿了，但还没有倒下去的意思，手脚仍利索。一直到父亲大汗淋漓了，小伍子才走过去，接过父亲的枪和刀，提在手上，挎在身上，随着父亲向家里走去。

随着小伍子的到来，父亲的身影又成了干休所一道风景。人们纷纷对父亲侧目。后勤部李部长等人就说：老石，俺们以为你不行了，咋地，又活过来了？

父亲说：操，你才不行了呢，不信咱们比试比试，看谁活的时间长。

白天的时候，父亲就和小伍子坐在自家院子里，父亲躺在椅子上，眯着眼睛望着太阳，秋天的太阳照在身上暖烘烘的。小伍子坐在父亲一旁，手脚麻利地擦刀，擦完刀又擦枪。

父亲说：土城那一仗，那才叫痛快，我要上阵地，你偏不让上，结果咱俩摔了起来，咋样，你不是个吧，结果把你干倒了，我冲上去了，抱着机枪好一顿突突。

小伍子说：我看你都急红眼了，有意让给你的，要不我能把你摔趴下。

父亲听了这话，坐了起来，瞅着眼前的小伍子说：咋地，你还不服是不是？不服就试试。小伍子放下枪道：试试就试试。

两个老人都站了起来，他们又抱在一起。抱在一起之后，他们突然放声大笑起来。

父亲的青春又回来了。

激 情 燃 烧 的 岁 月

幸福像花样灿烂

XING FU XIANG HUA YANG CAN LAN

幸福像花样灿烂

公元一千九百七十六年，那一年的深秋，军区文工团舞蹈演员杜娟发生了一件大事。

那个深秋，某一天的中午，杜娟收到了两封男性来信，这两个男性她都认识，而且说来还相当的熟悉。

第一封是文工团白扬干事来的，他在信里这么写道：

杜娟你好：

　　不知道晚上有没有时间，我在排练厅等你，有话对你说。

　　此致

　　　　　　　　　　　　　　　敬礼！

　　　　　　　　　　　白扬　　即日

　　另一封是军区文化部文体干事林斌写来的，他在信里这么写道：

　　杜娟：

　　　　我这里有两张文化宫的电影票，是你最爱看的话剧《春雷》，如有时间，在你们东院的西门口等你，时间是六点三十分。

　　　　此致

　　　　　　　　　　　　　　　　敬礼！

　　　　　　　　　　　　　林斌　即日

　　杜娟在这天中午一下子就收到了两封男性来信，她觉得自己要发生大事了。这两封信她是拿到厕所里看的，只有厕所里才不被人打搅，没人看到她脸红心跳的样子。看完这两封信，她一时竟不知如何是好，呆呆地蹲在厕所里。在这期间，同宿舍的大梅到隔壁的厕所里去过一次，她知道杜娟就蹲在一旁，大梅完事之后，敲了敲档板道：杜娟，怎么还拖拖拉拉的，这么长时间了，是不是"老朋友"来了？

　　杜娟含乎其辞地应了一声，大梅走了，杜娟仍蹲在那里，她要一个人好好地想一想，这究竟是怎么了？

　　杜娟二十一岁了，她到部队已经九个年头了，她是十二岁那一年被部队特招来的文艺兵。那时，她在老家那座城市里的文化宫里学舞蹈，说是学舞蹈，无非是练一些基本功，弯腰、劈腿、把杆等等。那年，军区文工团到各地去选舞蹈学员，他们一下子就看上了她，还有大梅。那时，能到部队当兵，尤其是女兵，没门没路子的连想都别想。因为部队招的是文艺兵，还是要考虑特长的，于是杜娟便成了一名文艺兵。接下来，杜娟就开始了部队的学员生活，这种生活一直持续了五年，五年不算长，也不算短，杜娟终于合格毕业了，现在成了一名排级职务的舞蹈演员。她感到生活幸福又美好。

她现在已经是干部身份的舞蹈演员了，也就是说，不管她以后跳好跳坏，能不能吃跳舞这碗饭，她都将是名部队干部。也就是说，她进了保险箱，不管以后在部队还是在地方，她都将是名干部。干部和一般的群众比，天上地下，不可同日而语。

二十一岁的杜娟这种优越的心理已经持续了好几年了，许多和她一起成长起来的学员，都有这种优越感。她们当学员时的那种努力、刻苦、勤奋等等，在她们成为干部演员后，都大打折扣。这一点可以从她们的体形上清楚地看到。她们胖了，先是脸圆了，然后是腿，以前细细瘦瘦的腿，变得饱满了，然后就是胸，坚挺瓷实。

这一变化，最突出地体现在她们吸引男性的目光上。她们还是学员时，走到哪里，都会吸引来一片目光，那些目光是新奇的、惊叹的。因为那时她们还小，这么小，这么漂亮的一群小姑娘，穿着军装，肯定是突出的，卓而不群的。于是缭绕在她们周围的目光是惊奇和羡慕的。现在却不同了，不管她们是集体还是一个人，只要出现在公开场合，她们都会把男性的目光牢牢地吸引到自己身上。那是男人欣赏女人的目光，她们已经明显地感受到了周围这种目光的变化。于是她们挺胸抬头，用灿烂的表情和丰富的身体语言来迎接这种男人的目光。

她们这一茬舞蹈演员，刚二十出头，花季芬芳不能不吸引众多的年轻男性的目光。但是他们也是有自知之明的，这些女孩子他们是得不到的，只能远远地欣赏。在这之前，那些文工团的女孩子大都嫁给了有头有脸的男人。这些男人大都是父母在部队工作，自然都是首长一级的人物，孩子们自然也就有了头脸，先是参军，最后是入党、提干，然后调回军区，在机关里当参谋或干事，他们选择女朋友的目标，首先瞄准了文工团的女孩子们。只有这样，才门当户对，况且又是近水楼台，他们得不到还有谁能得到？

杜娟这拨女孩子，早就被众多首长的儿子们物色上了。有的已经挑明了，大梅的男朋友就是军区后勤部长的公子，这个公子现在在司令部作战处当着连级参谋。现在每个周末，那个王参谋都要到文工团里来接大梅。两人说说笑笑地走了，去后勤部长家。

大梅回来的时候已经是深夜了，杜娟都睡了一觉了，大梅回来之后仍然是兴奋的，她不断地在床上翻来覆去，杜娟朦胧着眼睛去厕所，借着走廊里的灯光看到倚在床头的大梅仍大睁着眼睛。

杜娟就很不理解地说：都啥时候了，还不睡呀？

大梅就说：睡不着。

杜娟就说：那个王参谋对你好么？

大梅就潮湿地说：好。

杜娟就不说话了，大睁着眼睛望着黑夜，想像着是哪种好法。

大梅又说：王部长在催我和小王结婚呐。王部长自然是小王的父亲。

杜娟的心里就动了一下，然后就说：结婚有房子吗？

见杜娟这么问，大梅就胸有成竹地说：王部长说了，结婚就住在家里，他们家房子多的是。

杜娟这才想起王部长住在西院首长区的一片小楼里，那是一幢二层小楼，独门独院。王参谋是王部长最小的儿子，上面有姐姐和哥哥，哥哥姐姐早就成家另过了。王部长现在只有一个儿子在身边，住房自然不成问题。

杜娟暗自就羡慕大梅，觉得大梅找了一个中意的男朋友。

两个男人的爱意同时击中了杜娟，那个深秋的中午，杜娟捧着两封男人来信，竟一时不知如何是好。

二

文工团干事白扬长得一点也不白，可以说有点黑，原来在基层部队当排长，后来父亲先是当上了军区文化部的副部长，当副部长时便把白扬调到了文工团当干事，文工团隶属文化部领导。后来白扬父亲又当上了文化部的部长，师级干部。白扬整日里就显得很优越，在文工团工作，每日里和演员们打交道，又是年轻人，正是追女孩子的时候，身上的故事就很多。

白扬调到文工团不久，据说先是和话剧团的"小常宝"谈过恋爱，《智取威虎山》被话剧团改编成了话剧，演过"小常宝"的女孩子也姓李，那一年才只有十八岁，梳两条长辫子，走起路来一跳一跳的。自然是白扬先追求"小常宝"的。前一阵子，"小常宝"刚写过入党申请书，白扬干事就三天两头找"小常宝"谈话，两人选在白扬的办公室谈，后来就在文工团的院子里谈，当时的季节是春天，杨树吐绿，到处显得生机勃勃，白扬背着手，带着几分领导作派，"小常宝"把手插在裤兜里，样子天真而又幼稚。白杨喋喋不休地说着什么，样子激动，"小常宝"半低着头，一条辫子在前，一条辫子在后，满脸羞怯的神情，两个人的样子成了那年春天文工团一道最通俗的风景。

后来两人又形只影单起来，"小常宝"在那一段时间人变得痴呆起来，有时站在一个地方好久不说一句话，就那么呆呆地望着，眼前并没有什么，但她仍痴痴呆呆地望着。不久，人们才知道，白扬和"小常宝"散伙了，白杨又和一个唱歌的女孩子谈起了恋爱。人们便明白"小常宝"为什么痴呆了，那一阵子，天真活泼的"小常宝"不见了，只剩下一个恍惚的、脸色苍白的小李。不久，"小常宝"提出了转业，再也没有出现在话剧团，听说转业手续什么的都是她哥哥来办的。人们不知道白扬和"小常宝"之间到底发生了什么。

白扬和唱歌那女孩子，恋爱似乎是有始没终，两个热乎了一阵子又热乎了一阵子，最后也不了了之了。白扬和唱歌那女孩子倒没什么新故事，只是那女孩子调到了南方一个军区，她老家在那。又一个女孩子在文工团消失了，似乎和白扬有关，又似乎无关。

白扬把自己的触角伸向了文工团的每个角落，凡是有女孩子的地方便都有白扬的身影。白扬是最后把触角伸向舞蹈队的，据大梅透露，白扬曾向她发出过求爱的信号，那时王参谋还不认识大梅，大梅也曾赴过白扬两三次约会，第一次是谈话，第二次是去看电影，第三次去公园，从公园回来的那天晚上，梳洗过的大梅脸红红地躺倚在床头冲杜娟说：我谈恋爱了。

杜娟就吃惊地说：和谁?

大梅两眼放光地说：白扬。

杜娟就有些吃惊地望着大梅说：我怎么一点也不知道。

杜娟在这方面可以说反应比较迟钝，文工团青年男女一有谈恋爱的迹象，马上会作为头条新闻传遍整个角落，最后一个知道的一定是杜娟。按现在人们的说法是，杜娟的情商有些低。八九岁开始学习跳舞，十二岁入伍，她只对跳舞感兴趣，除此之外，一切她都是很迟钝，每日里笑呵呵的，谁说的话，她都相信，跟她说完了，与自己无关的，不出第二天一定扔在脑后。因此，杜娟和大梅比起来显得单纯，单纯得有点没心没肺。大梅的事从不回避杜娟，包括第一次来月经这样羞于出口的私事。大梅只把杜娟当成一只耳朵，听过也就听过了。

那天晚上大梅便把自己初恋的幸福说给杜娟听。大梅说：白扬摸我这了。

说完用自己的手摸了一下左胸。

真的?! 杜娟此时面色绯红，仿佛白扬摸的不是大梅而是自己。

如果王参谋不及时出现，也许大梅真的会和白扬有什么故事了。这时王参谋及时出现了，大梅和王参谋是经人介绍认识的，和王参谋见过一次面，又去了王参谋家里一趟之后，大梅当即做出决定，彻底和白扬断了往来。那一阵子白扬很是失落，他天天绕着舞蹈队的宿舍楼转来绕去的。王参谋正在和大梅热恋，只要王参谋一下班，便急三火四地来到文工团接大梅，那时他们把业余时间安排得丰富多彩，轧马路，逛公园，看电影，两人走在一起的身影，亲密而又幸福，白扬躲在暗处火烧火燎地看着眼前的幸福一对。

大梅投入到王参谋的幸福怀抱之后，曾和杜娟有过一次对话。

杜娟说：白干事人也不错的。

大梅说：王参谋人更优秀，他是搞军事的，以后比白扬有前途。

杜娟又说：白扬的父亲是文化部长，管着咱们你不怕？

大梅也说：杜娟你不知道王参谋的父亲是谁吧，他是后勤的王部长，军区常委，比白部长大好几级呢，我还怕白部长给我穿小鞋。

杜娟这时似乎才明白大梅为什么会舍近求远，这么快投入到了王参谋的怀抱。从那以后，白扬干事果然没再纠缠大梅，他只能远远嫉妒地看着。大梅的幸福便轻车熟路了。

在这之前，杜娟做梦也没想到白扬会给自己写信。杜娟没写过入党申请书，平时她只出入宿舍和练功房，要么就下部队去演出，文工团办公楼她很少出入，偶尔去开会，也都是和大梅等人结伴而去。以前她只远远地看过白扬，那是一个长得很结实的小伙子，要说了解白扬的话，都是从大梅嘴里得知的，包括当年和"小常宝"谈恋爱，又和那个唱歌的女孩子有来往，一直到最后白扬摸了大梅那个地方。总之，她对白扬的了解是抽象的。

大梅对白扬的评价是这样的：白干事很有激情，就像钻进女人肚子里的蛔虫，他知道你心里想的是什么。他干的事你觉得都蛮舒服的。

那时杜娟就想，大梅一定是想让白扬摸了，白扬才摸的，要不然大梅不会说这种话。

最近一段时间，白扬经常到舞蹈队的练功房里去转一转，背着手很悠闲的样子。舞蹈队的队长也很尊重白扬，毕竟是文工团机关的，况且又是白部长的公子。队长每次见到白扬都热情地打着招呼说：白干事，有什么指示?

白扬就挥挥手说：什么指示不指示的，随便看看。

刚开始，队长以示对白扬的尊重，总要在白扬的身旁站一站，说些客套话，白扬就说：你忙，我就是看看。

队长就走了。白扬就从这间练功房走到那一间。练功的时候，女队员在一间，男队员在一间，白扬看男队员练功时，神情是马虎的，草草地看了，就来到女队员练功的房间。女队员练功时，穿的都很少，练功衣裤都是紧身的，显得胳膊是胳膊腿是腿的。在白扬这种男性的注视下，这些女队员很不好意思，脸自然是红了。白扬似乎也觉得有什么不妥，看一会儿就走了，第二天仍然来。

杜娟要说和白扬有什么接触的话，就是在不久前的一次食堂里。

杜娟打了饭坐在一个空桌前吃饭，白扬端着碗走过来，坐在杜娟的对面。杜娟因为对白扬不熟，只和他点了点头。

白扬似乎对杜娟了如指掌。白扬坐下就说：杜娟，你怎么一直没写入党申请书呀?

杜娟红了脸，前面说过，杜娟是很单纯的一个女孩子，她只对跳舞精通，别的事她都搞不明白，她更不知道入党和跳舞有什么关系。

杜娟红了脸，说不出话来。

白扬又说：你们舞蹈队的人，差不多人人都写了入党申请书。

杜娟这才说：她们是她们，我是我。

白扬就说：你要提高自己的认识，找个机会我和你谈谈。

说完这话之后，白扬端起饭碗就走了。今天她接到白扬的信，她不知道是不是和她谈入党的事，要是这个事，白扬完全没有必要写这封信，他可以打个电话通知她，几点到他办公室去。

那不是这事又是什么事呢？

三

如果只收到白扬的一封信，杜娟就不会这么犯难了，她一定会毫不犹豫地去赴约，不管白扬谈什么，她都会感到很高兴，甚至会感到幸福的。

偏偏在这时，林斌也来了封信，他约她去看话剧。《春雷》这场话剧她在不久前曾看过，是文工团组织看的，她很喜欢。《春雷》里那个青年百折不挠追求真理的精神深深地感染了她。她记得看《春雷》的时候，林斌就坐在她旁边，因为自己入戏了，她甚至忘记了周围人的存在，她用手帕不停地去擦眼泪，主人公的命运让她担惊受怕，她双手死死地抓着身体两旁的扶手，直到戏演完了，灯亮了，观众热烈地鼓掌，她才清醒过来，觉得很不好意思，冲林斌吐了一次舌头，然后她慌慌地随人流向外走去。直到走到停车场，他们排着队上车，林斌才在她身后问：喜欢《春雷》吗？

她没敢回头，在灯影里她使劲地点了点头。那天回来的路上，林斌就坐在她的后面，她没回头，但她感受到，林斌的目光一直在注视着自己，她的脸颊也因此热了一路。那天晚上她失眠了。

林斌是军区文化部的文体干事，平时和文工团打交道很多，军区舞蹈队不管排练什么节目，事先一定要报机关审查的，林斌分管文体工作，每一次报告总是最先报到林斌那里，然后林斌就代表组织到文工团来，先找领导了解情况，最后找到这个戏的主角问一些情况，他每次都很认真地将了解到的情况记到小本子上，回到机关后，再把他了解到的情况汇报给领导，最后是白部长在汇报上画圈，不久，一份红头文件就下来了，上面说同意文工团这个节目的排练。

节目排练了一阵子，文化部的领导就亲自审查了，林斌自然也在其中，仍拿着那个小本子，文工团上上下下又认真准备了一通，团长、白扬等人也跑前忙后，一干人等看完了排演的节目，每次都会有些意见，先是领导们说，林斌不停地记录，到最后林斌也会说上几句，话语轻淡淡的，他总是在强调领导曾经说过的话，领导没说过的他从不多说一句，然后合上本子，恭恭敬敬地望着领导，等候领导的最后指示。

林斌在这种场合下，总是显得很文静，脸也长得很白，一点也不像白扬。他和白扬很熟悉，每次到文工团来，他都要和白扬说笑上一阵。

杜娟有一次排练了一个双人舞，节目审查的时候，林斌也来了。刚开始杜娟还能一心一意地跳舞，不经意间，她的目光和林斌的目光对视在了一起，林斌正专注地望着她的眼睛，不知为什么，在余下的动作里，她总是走神，一连出了好几个错。节目完了，她连头都不敢抬，坐在一旁，领导说了什么，她一句也没有听清楚，耳旁轰响成一片。直到领导起身离坐了，林斌走过她身边时，轻轻拍了一下她的肩，说了声：你跳得不错。这句话她听清了，不知为什么，那一刻她直想流泪。

她和林斌的接触，差不多就是这些。没想到的是，林斌会在这时，给她写来这样一封信。

杜娟遇到了人生中第一件头等大事，她在厕所里，把两封信左看了一遍右看了一遍，仍没有下定最后的决心，到底该怎么办。她下定决心，向同宿舍的大梅求助了，她相信大梅，天大的事到了大梅眼前都是小事一桩，大事化小，小事化无，她有这种本事。

正是午休的时候，大梅已经躺在了床上。大梅有个毛病，每次躺在床上，总是要把自己脱得干干净净，只有这样，她才能睡着，否则，她将寝食难安。大梅说，脱光了衣服睡觉这是一种幸福，穿着衣服那才是活受罪呢。杜娟回到宿舍的时候，大梅似乎睡醒了一觉，她正眯着眼睛看杜娟。然后她就一针见血地说：杜娟你出事了？

大梅这么一说，杜娟就再也承受不住了，一股脑把两封信都塞到了大梅手上，自己坐在床沿上，手足无措的样子，她似乎在等待着大梅的宣判。

大梅看了一眼信，又看了一眼，然后就惊惊乍乍地说：呀，杜娟你了不得了，爱情来了。

杜娟就红着脸说：大梅你小点儿声儿，怕别人不知道咋的。

大梅就平静了一些道：杜娟你真幸福，同时有两个男人喜欢你。

杜娟就无助地说：要是一个人还好办，两个我可咋办呢？

大梅又说：白扬不错，他就是咱们团的人，年轻有为，有多少女孩子喜欢他都喜欢不上呢。

杜娟说：那我今晚就去见白扬。

大梅这时在被窝里又摇摇头说：林斌也不错，他没什么靠山，这么年轻就在大机关工作，在领导身边，以后一定会很有前途。

杜娟因此也改变了主意：那我去见林斌。

大梅沉思了一会，伸出白白的胳膊，抱住自己的头说：别忘了，白扬的父亲是白部长，虽说白扬暂时在咱们文工团这座小庙，谁敢说以后不会调动。

杜娟听大梅这么一说，更没了主意，她眼巴巴地望着大梅说：那我该见谁呀，要不我谁也不见了。

大梅望着天棚说：你都见！

杜娟就傻了似的望着大梅。

大梅把白白的胳膊收到被窝里，伸了个懒腰说：以后，那就骑驴看唱本走着瞧，谁能给你幸福，你就嫁给谁。

四

杜娟有大梅做后盾，心里果然踏实了下来。

在剩下来的时间里，杜娟倚在床上，双目盯着天花板，她在畅想自己的未来，想像着即将出现在她生活中的两个男人，她要抓住属于自己的幸福。

那个下午对杜娟来说冗长而又焦灼，她在激动又忐忑中终于等到了晚上。她走出宿舍门时，抹得香喷喷的大梅拍着杜娟的肩膀说：好好干。杜娟知道，香喷喷的大梅要在空下来的宿舍里等待王参谋的到来，以前大梅也是这么抽空和王参谋幽会的，可是那时杜娟什么也不懂。有一次，杜娟突然从练功房里回来，撞上了王参谋和大梅两个人正在宿舍里，她只看见大梅凌乱的床，还有面色潮红的两个人，那时她什么也不懂，傻呵呵地冲两个人乐，直到大梅急赤白脸地说：我们两个迟早是要结婚的。她仍没明白两个人躲在宿舍里到底干了些什么。现在她知道大梅为什么把自己搞得香喷喷的原因了，她出门的那一刻，冲大梅很有内容地笑一笑，心里想，迟早有一天，我也会在宿舍里幽会的。

六点三十分，杜娟准时来到了东院的西门口，东院是军区的家属区，但也有一些不怎么重要的单位被安排在了东院，例如文工团这样的单位，西院是办公区，还有一些师职以上的干部宿舍。西院自然要比东院贵族一些，但仍有士兵站岗，杜娟出门的时候，哨兵向她敬礼，她一走出东院门，便看见了立在树下的林斌，林斌立在那里像一个士兵一样，不错眼珠地向东院内张望着，他一看到杜娟，笑着冲她说：我还以为你不会来呢。

杜娟说：差一点，晚上我们排练。

杜娟第一次撒谎，脸红了，天暗，林斌看不到这一点。

林斌就很失望的样子。

杜娟说：晚上排练七点半呢，还有一会儿呢。

林斌的脸色就舒缓了许多，他有些尴尬地说，可惜，话剧看不上了。

两个这么说话时，是边走边说的，两人顺着军区大院外的甬道往前走去，甬道上落满了树叶，两双脚踩在上面哗哗啦啦地响着。两个没再提看话剧的事，有一搭无一搭地说着话。

林斌问：最近在排什么节目？

杜娟说：还是那个双人舞。

林斌就点点头说：这个双人舞，部里领导很重视，还希望你们在全军汇演中拿奖呢。

杜娟不说话，只是笑。

接下来，两个就说到多长时间没回家了，由家说到家庭中的成员。直到这时，杜娟才知道，她和林斌的老家是一个市的，他们住的不是一个区，但只隔了两条马路。两人的样子似乎都很愉快。不知不觉就到了七点半，这是杜娟给自己定的时间，白扬没有说具体时间，只说晚上在练功房等她。但她还是给自己规定了时间。杜娟看表的时候，林斌不无惋惜地说：你时间到了，咱们原来还是老乡，那就找个时间再聊吧。

林斌向她伸出了手，她也把手伸了过去，他握住了她的手，她觉得他的手又大又热。

她不知道白扬要和她说什么，她低着头只顾走路，差点和楼上下来的一个人撞了个满怀，她抬起头才看清对方原来就是白扬，白扬自然也看见了她，怔了一下说：我以为你不来了呢。

又是这样的开场白，说得她怔了一下，忙说，我在宿舍里有点事。

两人一边说一边向排练厅里走去，进门的时候她伸手要去开灯，他伸出手制止了她，她触到了白扬的手，白扬的手很软，还有些凉，她这才意识到，男人的手原来是不一样的。

白扬很自然地说：别开灯，太刺眼了。

窗口有一片亮光泻进来，那是月光。两人向窗口走去，就站在这片亮光里。

白扬站在她的对面，迎着月光，他就成了一个剪影。

他说：为什么不喜欢入党？他这样开场说。

她低下头笑了一下，半晌才答：什么也不为。

他说：你要写入党申请书，我会为你争取的。

她抬起头望着他，想：也许白扬以前和"小常宝"还有那个唱歌的女孩子约会时，他也是这么开场的吧，想到这，她凌乱的心稳定了下来，平静地望着他。

他说：你舞跳得不错，比大梅强多了，大梅一谈恋爱就不想跳舞了。

这时她想起呆在宿舍里的大梅，心想，此时大梅一定又把宿舍的床弄乱了。想到这，她的脸又红了一下。

白扬这时向前挪了一下身子，似乎要抓住她握着把杆的手，最后在一旁停住了，只握住了把杆。

白扬说：舞蹈队的女孩子就你不一样。

她不明白他说的不一样指的是什么，她还没有问，她就听见了他急促的呼吸声，这种呼吸，让她感到有些压迫，她似乎受到传染似的呼吸也急促起来。就在这时，白扬一把抱住了她，她没想到，他会抱她，刚想躲避，不料想，他的整个身子倾斜着压了过来，脸贴在她的脸上，他更加急促地在她耳旁说：杜娟，我喜欢你。

那一刻，她的大脑一片空白。她什么都想到了，就没想到，他会这样。她含混地说：啊，不。

他更紧地抱着她，她一时不知如何是好，浑身僵直，他的手在她身上游移，突然，他摸到了她的胸，她过电似的那么一抖，不动了。她想起大梅和白扬约会后回来对她说：白扬摸我这了。

那时她脸红心热，不知道那被男人摸过是什么滋味。此时，眼前这个男人正得寸进尺地摸她"那"，她是什么感觉呢，她觉得身体僵直得都快断掉了。一次次，她似乎是被电击中了。后来，她逃也似地离开了练功房，离开了那个男人的怀抱。

她回到宿舍，大梅正在整理自己的床铺，大梅的样子很满足，正在哼唱着《北京的金山上》，大梅一抬头看见了她，忙笑着问：怎么样？她没有理大梅，她不知自己该说什么，一下子躺在床上，拉过被子，蒙上了头。

五

一个晚上，短短的时间里，单纯的杜娟经历了两个男人对自己表白爱意，林斌含蓄而又冷静，白扬直接热烈。杜娟一时不知如何是好了，她把头蒙在被子里，眼睛却睁得大大的，浑身发热，脑子发空。她想冷静地想一想，可一时半会儿却想不出个头绪，脑子里乱乱的，又空空的，她努力使自己沉静下来。

她没有和男人交往的经历，尤其是这么近距离接触男人，他们舞蹈队分男女两个队，她也有过和男舞蹈队员合作的机会，那时，他们的身体接触是紧密的，他们在一起要做出各种各样的动作。

第一次体会男人身体的时候，那是参军不久，她还是舞蹈队的学员，观摹舞蹈队老队员演出。演的是《白毛女》，"大春"上场的时候，只穿了一个体形裤，下体自然暴露无余，她坐在前排，清晰地看见了大春的下体，那个晚上，她脑子里呈现的始终是"大春"的那一部分。她一直在心里说，原来男人是这样的呀。

第二天见到那个扮演"大春"的男演员时，她不由自主地脸红了。很长时间，她的这种感觉才消失。

后来就有了和男演员一起排舞的经历，身体接触自然是少不了的，刚开始，她总是害羞，做动作时，有意地和男演员保持着距离。她们的舞蹈队长是过来人，自然对她们这群小姑娘的心理了如指掌。队长就说：舞蹈演员的身体就是语言，没有男女。

队长这么说过了，每次她和男演员在一起排练时，她就默念着队长的话，可还是不行。于是，一个动作就会重复十几遍，有时是上百遍，才终于过关。日复一日地下来，她渐渐就没有了那种感觉，她眼里的男演员，只是一个舞蹈符号，甚至就是一截木头。几年下来，她再看男演员时，便心静如水了。这就是职业素质。后来队长这么评价他们这些演员。

她没想到的是，林斌和白扬一下子让她的身体激活了，他们不是男演员。而是两个活生生的男人。面对男人，杜娟不能不激动，不能不失眠。

冷静下来，杜娟一遍又一遍地问自己：我到底喜欢哪个男人？

杜娟无论如何睡不着了，她没了主张，这时她就想起了大梅。大梅在她眼里简直就是过来人，虽然她们的年龄相差无几，任何事，包括这次和两个男人见面都是大梅的主意，现在又出现了一个新问题，她要讨教大梅了。想到这，她跳下床，一下子把灯拉亮了。

大梅已睡着了，两只白乎乎的胳膊，还有半截肉肉的肩膀露在被子外面，大梅的样子很满足，也很幸福。杜娟突然发现大梅又胖了。大梅被突然而至的灯光刺激得直揉眼睛。

大梅就说：干嘛呀，你脑子进水了。

这句话，当时是一句颇流行的口头语，一般年轻人都会说。

杜娟坐回到自己的床上，用被子盖住自己的下半身说：大梅，我睡不着。

这时大梅就睁开了眼睛。

大梅说：咋地？是不是让两个男人搞的。

杜娟只能点头了。

大梅说：两个人都对你说啥了？

杜娟就偷工减料地把见两个男人的大致情况和大梅说了。

大梅就说：这才哪到哪呀，早着呢。

杜娟说：那我不能同时交两个男朋友吧，总得选一个吧。

大梅说：你选什么，两个人谁说娶你了？

杜娟摇摇头。

大梅说：杜娟你别傻了，遇到这种事，男人都知道要挑一挑，就不许我们挑了。我不是跟你说了么，这两个男人各有特点，各有优长，就看谁最后能给你幸福，谁给你幸福你就嫁给谁。

杜娟仍不明就里地说：那我现在该怎么办？

大梅说：你该干啥还干啥，哪个男人约你，你都去见。

杜娟又说：要是他们同时约我呢？

大梅说：那你就选择一个去见。

杜娟听了大梅的话，仍是一脸的为难，她不知道这样下去的后果是什么。谁会让她幸福？此时的幸福对单纯的杜娟来说，如同水中月，雾中花，看不见摸不到。

大梅的话，还是对杜娟产生了重要的影响。

中午在食堂里，杜娟见到了白扬。那时杜娟正坐在桌前吃饭，白扬端着饭碗在用眼睛寻找着什么，那一刻，杜娟希望白扬走过来，又不希望他过来。她一看见白扬，她就想到了昨晚发生的事，他是那么迅雷不及掩耳，三两下把就把自己抱在了怀里。此时，她的心里也是矛盾的，她一方面希望白扬这么大胆下去，同时，她又希望白扬离自己远一点，像林斌一样和自己说话。

杜娟正想着，白扬走到了她的身边，在一个空座上坐了下来。

他看了她一眼，又看了她一眼，然后就说：晚上，你哪也别去，我去宿舍找你。

他的话似乎就是命令，可她一点也没有听出来，脸红心跳地说：也许晚上排练呢。

白扬说，我问过你们队长了，你们舞蹈队下午政治学习，晚上没有安排。

白扬说完这话，端着碗又到队长那桌去吃了，他们说说笑笑地说了什么，她一句也没有听清，耳畔里回响着白扬的话：晚上你在宿舍里等我……

同宿舍的大梅，晚饭都没有在食堂吃，就被王参谋接到家里改善生活去了，杜娟知道，大梅回来的时候，宿舍里一定又会充满鸡鸭鱼肉的气味。看到大梅现在这个样子，她有些羡慕，觉得自己很冷清。

晚饭后，刚回到宿舍，就听见敲门声。她想，一定是白扬来了。果然，白扬走了进来，白扬没有穿军装，只穿着军裤和白衬衣，显得精神焕发。

宿舍的灯是开着的，整流器发出嗡嗡的声音，隔壁宿舍的女伴在偷偷地听邓丽君的歌曲，渺远地传来邓丽君不断重复的《夜上海》。白扬并没有向杜娟担心的那样，总之，那天晚上白扬一直显得很文明。他坐在椅子上，她坐在自己的床沿。那一晚，几乎都是白扬一个人在说，说自己十六岁被父亲送到部队后，如何想家，偷偷地跑回来，父亲用棍子敲了他的腿，又把他送到了部队上。后来他提干了，当上了排长，部队拉练时，住在老乡家里，南北大炕，老乡住在南炕，男女混住在一起。又说拉练时，嘴馋，用军用棉鞋和老乡换鸡蛋的事……

白扬说得很有趣，杜娟听着也很新鲜，她不时地用手捂着嘴笑上一会儿。白扬不笑，一本正经，苦大仇深的样子。渐渐地，她的眼前就有了白扬的形象，一个调皮又玩世不恭的军人形象。不知不觉，又快到熄灯时间了，大梅还没有回来。白扬起身告辞了，这时，杜娟不知为什么竟有了几分失落，为什么失落，她自己也说不清楚。白扬走到门口的时候，又回了一次身，他伸出手，在她脸上拍了一下，她没躲，也没有必要躲，只是目光从白扬的脸上移到了地下。

他转回身说：以后我还会找你的。

熄灯号吹响的时候，大梅回来了，然后笑吟吟地说：是白扬来了吧？

杜娟有些吃惊地问：你怎么知道？

大梅说：我会闻呢。

每次王参谋来宿舍，她就闻不出来，她只能透过大梅床上的变化感受王参谋的出没。

躲在床上的时候，她闻到了鸡鸭鱼肉的气味。她的肚子"咕嘎"响了一声，她想有个家也不错。

六

林斌再一次约杜娟见面，是十几天以后的事了。那天是个星期天，昨天下了今年的第一场雪。

星期天上午，白扬又来宿舍坐了一会儿，王参谋去外地接兵去了，大梅没处可去。白扬来之前，大梅和杜娟正趴着窗子向外看雪景，这时白扬就来了。三个人先是嘻嘻哈哈地说了会儿话。大梅知趣地卷起一堆衣服去洗漱间去了。因为有大梅在，虽然她此时不在屋里，但大梅的身影是随时可以出现的，因此，白扬就很不踏实的样子，这瞅瞅，那看看，背着手不停地在屋里踱步。

走了一会儿白扬说：大梅这个人心眼很多，你们俩住在一起，你要长个心眼。

白扬说大梅心眼儿多的这话时，杜娟心想这是白扬在吃醋呢。白扬每次和大梅见面时总显得很不自然。不知是不是没有追求到大梅，心理不平衡的关系。白扬坐在宿舍里，就显得极不自然。一上午，白扬也没有说几句完整的话，后来大梅洗完衣服回来了，白扬就走了，杜娟自然要把他送到门口，白扬这次没有伸出手在她脸上爱抚一下。

中午的时候，大梅和杜娟都睡了一个挺长的觉，睡前两人照例说了一会儿男人。大梅每次开场都是从王参谋说起，王参谋长，王参谋短的，最后又说到王参谋家里，话语间自然少不了那栋小楼，甚至还说到王参谋家里的司机和公务员，大梅的语气里透着无限的幸福和骄傲，每次话停下来时，她都说：我们马上就要结婚了。

大梅说这样的话已经好长时间了，可一直不见大梅结婚，杜娟能感受到，大梅在日盼夜想结婚，结婚之后，她可以明正言顺地搬到王参谋家那栋小楼里去住，也就是说，那时，她将是名正言顺的王部长的儿媳妇。到那时，谁不高看她一眼？每次说到这，大梅总是一脸的幸福和畅想。

大梅说完自己后，突然想起什么似地说：那个林斌有消息了吗？

其实杜娟这几天一直想着林斌，和林斌那次分手后，林斌曾说过，过几天就找她，可都过去十几天了，她都和白扬单独见了几次面了，林斌再也没有约过她，她曾想，也许林斌那次是无意约她，或许是自己多情了。

这么一想，杜娟就沉静下来，不一会儿就睡着了。天都暗了下来，她才和大梅从床上爬起来，这时有人就叫杜娟去接电话，电话是林斌打来的，林斌约她去自己的宿舍。

林斌住在东院的一个集体宿舍里，那里住着机关一大部分的单身汉。

杜娟以前很少到单身楼里来，七扭八绕的总算找到了林斌那间宿舍。杜娟来的时候，林斌正忙活着，林斌同宿舍的一个干事，家是本市的，今天回家了，此时宿舍里就林斌一个人。他买来了菜，还有一条活鱼，杜娟进门的时候，林斌正在给那条鱼开肠破肚，见到杜娟就说：今天晚上咱们自己做饭，改善改善。

杜娟觉得这一切很新鲜，也很温馨，便兴高采烈地和林斌一起干了起来，两人一边干一边说着话，无非是一些日常工作，家里又发生了什么事，从第一次知道两个人的老家是一个市之后，两人说起老家来，话语自然透着亲切和随意。

两人正亲亲热热地干着活时，突然门被推开了，进来的不是别人，正是白扬。白扬没想到在这里会碰见杜娟，他有些吃惊地望着两个人。倒是林斌很随意地说：杜娟是我的老乡，想改善一下伙食，叫她过来帮我做几个菜，你来了刚好，咱们一起喝几杯。

白扬腋下夹着一副象棋，下午没事，他找人下棋，他来到单身楼一连推了几个门，不是睡觉，就是会女朋友的，他才想起推林斌的门。杜娟见到白扬的那一瞬，她也有些吃惊，要是知道会遇见他，她无论如何不会来的。好在林斌的一番话，很快让大家轻松了下来。白扬就大大咧咧地说：那好，晚上就在你这里改善了。

白扬有千万条理由这么随意的，他爸爸是文化部长，林斌就是父亲手下的干事，他有着这样的心理优势。

接下来，两人就坐在床上下棋，做菜的活就落在杜娟一个人的身上，林斌棋下得很不专心，不停地抬起头来，告诉杜娟盐在什么地方，油在何方。两人一问一答的，倒平添了几分热闹。

白扬似乎下棋的兴致也不高，不时地抬起头瞟一眼杜娟。杜娟埋着头，也不能一门心思地做菜，她在想，日后将怎样面对这两个男人呢？

菜总算是做好了，接下来三个人就坐在桌前吃饭，白扬和林斌喝酒。几杯酒下肚之后，白扬的话多了起来，声音自然也很大。

白扬说：林干事，我爸经常在家提起你，说你多才多艺。

林斌就笑，是那种挂在脸上的笑。

白扬又说：林干事，你比我有出息，在大机关，不像我，只在文工团里，小单位，没什么前途。

林斌就开玩笑说：文工团当然好，整天有那么多漂亮女孩子围着。

白扬说：围着有什么用，又不能当饭吃。

两人说到这，都笑。

杜娟不笑，她没法笑，自从白扬一进门，她的心就乱了。

杜娟这时抬起头看着林斌，林斌也还在望她，两人对视了一下，林斌冲白扬摇摇头。

白扬就说：看上谁了跟我说，我们文工团就不缺姑娘，我给你当月下老人。

林斌就低下头，摆着手说：现在还不好说，到时再说吧。

一顿饭下来，杜娟也没说几句话。两个男人刚放下筷子，杜娟就要告辞回文工团，林斌执意要送杜娟出来，这时白扬站起身来说：我替你送吧，反正我也要走了。

林斌就不好说什么了，白扬随杜娟走了出来。

到了楼下，白扬说：这里你来几次？

杜娟看了一眼白扬说：第一次。

接下来两人就没话了，白扬一直陪杜娟走到文工团楼下，才说：我不上去了。杜娟一个人往里走。这时，白扬又把杜娟叫住了问：你和林斌真是老乡？

杜娟说：是呀，怎么了？

白扬摆摆手说：没什么。

杜娟以为这个晚上会很愉快，没想到却过得没滋没味的。杜娟有些失落。

七

接兵的人回来了，同时带回来一条不好的消息，王参谋光荣负伤了。他的一条腿被运新兵的火车轧断了。往回运新兵时，在一个兵站有两名新兵因上厕所掉队了，王参谋为了让那两个新兵上车，自己的一条腿不小心陷在轮子下，现在王参谋就住在军区总医院里。

大梅得到这个消息时，她正在练功房里练功，她差点摔倒，杜娟扶了她一把，然后大梅白着脸，匆匆忙忙地去了军区总医院。

杜娟回到宿舍时，大梅已经从医院回来了，她趴在床上正撕心裂肺地大哭，杜娟站在一旁一副不知如何是好的样子。她想起以前的王参谋，两条腿很结实，走在楼道里"嗵嗵"作响，现在王参谋没了一条腿，不知走路会是个什么样子。

团里领导，还有舞蹈队的人，轮番地来劝慰大梅，走了一拨又来一群，他们七嘴八舌地说着吉利话，他们都在试图避开王参谋的腿，可又没法避开，于是人们就在那里咬文嚼字结结巴巴地说着。

大梅渐渐平息了下来，人们陆陆续续地走了，宿舍里只剩下大梅和杜娟了，大梅不哭了，睁着一双红肿的眼睛望着杜娟，杜娟觉得有一肚子话要对大梅说，可她不知从何说起，只问了一句：你还和王参谋结婚吗？这么问过后，她才知道，这件事才是她最关心的。

大梅半晌说：王参谋的腿断了，可他还是王部长的儿子呀。

杜娟这才明白，大梅看中的不是王参谋，而是王参谋的父亲，王部长。从那以后，大梅似乎就不务正业了。她几乎整日泡在医院里去陪受伤的王参谋。那阵子大梅很忙，她一面去陪王参谋，一面张罗着结婚，她抽空在商场里买回了大红的被面，那上面印着两只恩爱的鸳鸯。

王参谋终于出院了，那条残腿装上了假肢，如果站在那里不走路的话，和以前没什么两样，只是走起路来才发现那是一条假腿。王参谋一出院，就闪电式地和大梅结婚了。

那是一个星期天，王部长的专车到舞蹈队来接大梅，车上扎着红花，大梅穿了一件大红外套，胸前也扎了一朵花。文工团好多人都参加了大梅的婚礼，杜娟自然也去了，这是她第一次走进王部长家，那是一栋很漂亮的俄式风格的小楼，红色的木地板，楼上有四个房间，楼下三个房间，好多人第一次见到这小楼的真实面貌，不停地啧嘴，大梅的新房就安排在一层的一个房间里。床是钢丝床，家具是实木的。好多人都说：呀，真漂亮。

大梅精神焕发，一脸的骄傲。杜娟就想，要是王参谋的腿不断，大梅会更骄傲。喝喜酒的时候，人们不断举杯冲着大梅祝福，人们说：大梅，祝你幸福。

人们还说：祝大梅永远幸福。

人们再说：愿你们白头偕老。

……

大梅终于住进了那幢二层小楼。但集体宿舍的床并没有拆掉，她在结婚前就和团领导说好了，宿舍里这张床她仍要保留着，原因是她中午还要在这里休息。她现在已经是王部长的儿媳妇了，说话很有份量，团领导自然不好说什么，床位再紧张，不就是一张床么，就当大梅还没有结婚不就完了么，领导在这件事情上看得很开。

大梅一搬出宿舍，白扬到杜娟这里来的次数就勤了。刚开始，他还能有条不紊地和杜娟说些桃红李白的话，后来，他一进门就来搂抱杜娟，杜娟又紧张又兴奋。两人撕撕扯扯的，样子像打架。过一会儿，杜娟就老实了，她半推半就地让白扬吻她，搂她，后面的结果是，白扬想往床上躺，并开始解杜娟的衣服，直到这时，杜娟仍保持着清醒，她一方面不让自己躺在床上，也不让白扬解自己的衣扣，这时她是果决的，也是寸土不让的。

白扬努力一番没能得逞，便气咻咻地说：没见过你这样的人。

杜娟就想，自己不是这样，那么以前和白扬谈过对象的"小常宝"和唱歌的那个女孩一定是那样的人了。往下想，她似乎看见白扬搂抱着那两个姑娘往床上躺的情形，这种情景一旦产生，反倒让杜娟冷静下来了。她想，白扬和那两个姑娘恋爱都没有成功，那两个姑娘的命运都不是很好，要是自己也步入那两个姑娘的后尘该怎么办。这么一想，她更加坚定了自己的信念，也就是说，要誓死保卫自己最后的防线，只要最后的防线不被突破，那她就还是一个姑娘。

　　每次和白扬在一起时，她总是下意识地想起林斌，林斌从来没像白扬这样急三火四的，他只拉过她的手。后来他们又去看了一次电影，当然是林斌买好票约她的，影院一黑下来，林斌手就伸了过来，大大的，热热潮潮的，她的手很顺从地让他抓住，一直到电影结束，她脑子里只剩下林斌那只热潮潮的大手，电影演的是什么，她已经不记得了，可是那只大手扔挥之不去。

　　白扬抱她吻她时，有时她就想，要是林斌抱自己，摸自己，怎么办？她想像不出来那会是个什么样子。白扬对待她的样子，显得很老道，游刃有余的样子，有时她的身体随着白扬的动作热了一阵又热了一阵，有几次，她差一点把持不住自己，让白扬解开了她两个扣子，最后她还是及时地清醒了。

　　有时白扬也玩腻了这种把戏，不动她，只和她说些话，这时她脑子里是清晰的。

　　她问：以前和你谈过对象的那两个女孩，是你和她们提出分手的吧？

　　白扬就说：她们和你不一样。

　　她说：有什么不一样？

　　他说：她们不值得我爱她们。

　　她又说：你都和她们那个了，还说不爱？

　　他这才说：哪个了？刚开始觉得还行，后来就不喜欢她们了。

她再说：你现在觉得我还行，以后你也觉得我不行了。

这时，他又把她抱过来，让她坐到自己腿上，手就放在她的胸上。他气喘着说：我和你是认真的，我喜欢你。

她当时没说什么，心里想：也许以前他和别的女孩子也说过这样的话吧。

他又说：答应我吧，我会让你幸福的。

幸福？幸福是什么，大梅那个样子是幸福的吗？大梅自从结婚以后，人整个似乎都变了，晚来早走的，脸上整日里挂着笑，体重与日俱增，队长曾说她这样下去，怕是跳不成舞了。

杜娟也曾私下里问过大梅：你不跳舞，以后想干什么？

大梅就满不在乎地说：军区这么大干什么不行，干什么都比跳舞有出息。杜娟你以后也要做好准备，不然就来不及了。

后来大梅又问到她和林斌、白扬两个人的进展情况。自从大梅结婚之后，不知为什么，杜娟也不想把她和两个男人的事事无巨细地告诉大梅了。大梅规劝杜娟的还是那句话，谁让你幸福，你就嫁给谁。

谁能让自己幸福呢？杜娟看不清楚。

初春的时候，林斌约杜娟去公园里走一走，林斌每次约杜娟总是户外活动，或者是集体方式的活动，一点也不像白扬，白扬总是在房间里，最后的目的是床上，杜娟却一次也没有让白扬得逞，白扬有些急，又不好发火。杜娟也说不清自己的感受，她似乎喜欢林斌这样，也喜欢白扬那样，杜娟矛盾着，困惑着。

那天在公园里，杜娟很高兴，绕着一排柳树疯跑，柳树刚发芽，样子很是可爱。

站在一旁的林斌不错眼珠地望着杜娟，后来他说：杜娟，我太喜欢你的身材了，真好，就像梦。

什么梦？杜娟这么问他。林斌说：梦是说不出来的，你就是我的梦。

在那个初春的公园里，林斌温柔地把杜娟拉到近前，仿佛怕伤害她似的，吻了她。轻轻的，柔柔的，让杜娟回味了许久，这是不同于白扬粗暴式的吻，但这种吻还是让她颤栗了。她闭着眼睛，以为林斌还会有什么动作，结果什么也没有。

最后，林斌拉着她的手，顺着柳堤往前走，天是蓝的，空气是清新的，他们在潮湿的土地上向前走去。

后来，林斌冲她说：我要上学。

高考恢复了，部队的干部、战士可以报考地方院校，只是名额有限。林斌冲杜娟说：我要争取。

杜娟不知道林斌报考院校去上学是好事还是坏事。但她意识到，林斌将离她远去，一种忧伤袭上了她的心。不知为什么，林斌上学只是个设想，但还是影响了杜娟的情绪。

林斌似乎看出杜娟的心思了，忙说：上学才四年时间，到时，你才二十六岁，一切都不晚。

其实林斌说这句话是一句暗示，杜娟也听懂了这种暗示，也就是说，她要给林斌一个正面的答复。她想起了白扬，她没法给他一个答复。她只能沉默。也就是这种举棋不定的心理，使杜娟的命运发生了不可逆转的变化。

八

世上没有不透风的墙，这句话果然在杜娟身上应验了。

杜娟又一次赴林斌的约会时，被白扬发现了。

白扬发现时没说话，他狠狠地看了一眼林斌，又狠狠地看了一眼杜娟，气哼哼地转身就走了。杜娟好半晌才回过神来，她想该如何向白扬解释，他会听她解释吗。如果解释不通，那就和他彻底断绝关系。其实林斌也不错，可林斌一直没有说爱自己，也没有什么大胆的举动。后来又想，林斌不是说喜欢自己的身材么，还说她是他的梦什么的，这么想过之后，她的心里就踏实了下来。

林斌说：白干事怎么了？

杜娟说：他脑子一定进水了，毛病。

林斌也说：就是，谁也没招他。

杜娟说：别提他了。

两个人就自然不自然地往偏僻一些地方走去。杜娟横下一条心，身子主动又向林斌靠近了一些，林斌似乎受到了杜娟的鼓励，也大胆地把手伸出去，揽住了杜娟的腰，她的腰第一次被林斌搂着，过电似的那么一抖，身体里有一种东西很不安分地乱窜起来，那一刻，她的心头洋溢着不尽的幸福感。

这一刻，杜娟又想起了大梅，她想：大梅就是了不起。大梅说和王参谋结婚就是幸福，并让她在两个男人中选择幸福。现在她已经体会到了这种幸福。那个下午，她和林斌在一棵树后做了许多亲热的举动，她的身体被林斌抵在树上，仍然抑制不住一阵又一阵过电般的感觉。她想：生活是多么好哇。

那天晚饭后，杜娟刚回到宿舍，门便被白扬"砰"地推开了。

她很镇静地望着白扬，白扬的一张脸是扭曲的。白扬就变声变调地说：

你们今天下午都干什么去了？

杜娟不说，她已经横下一条心，她认为自己和白扬的关系就此结束了，这是迟早的事，她现在觉得自己找到了幸福。

好哇，你脚踩两只船。白扬这么说。

杜娟仍然什么也不说，冷静地望着白扬。

白扬又说：你们都干什么了？

杜娟说：你管不着。

白扬再说：哼，你道德败坏，你是一个骚货。

杜娟说：恋爱自由，你管不着。

白扬真的生气了，他扬起手，似乎要打杜娟，最后终于没有落下来。但他仍吼：你们都多长时间了？还骗我，说你们是老乡。

白扬似乎终于明白为什么还拿不下杜娟这块高地，原来有另外一个人在捣乱。

他说：好，你在搞三角恋爱，我告诉你，有他没我，有我没他，咱们走着瞧，不把你们搞散了，我就不姓白。说完一摔门就走了。

杜娟对白扬的威胁一点也没有害怕，白扬来后，她还冷笑了两声，心想，只要我和林斌愿意，谁也别想拆散我们。

第二天中午的时候，大梅来宿舍午休，杜娟忍不住把最近发生的事都对大梅说了。

大梅就一副痛心疾首的样子，她所说的幸福，其实是偏向白扬的，林斌只是一个陪衬，那是退而求其次的选择。事情已经这样了，大梅自然就没什么好说的了，只能一遍遍地替杜娟惋惜。又说王参谋准备转业到地方的话题。

这事之后没多久，林斌突然告诉杜娟，部里那个考学名额给自己了，现在他要全力以赴复习文化课。

白扬自从和她吵过之后，一次也没有来找过她。平时在路上碰见了，他也像没看见她似的别过脸去，中午在食堂吃饭时，白扬故意不坐她出现的桌子上，而是坐到别处去，大着声音和其他人说话，仿佛是故意给她听似的。她也就装得没事人似的，该干什么还干什么。如果事情仍然这样往下发展，便注定没有什么新意了，结果事情很快发生了变化，故事又得重新讲起了。

九

林斌先是参加了考试，在等待考试结果的过程中，他又和杜娟见了两次面。第一次在他的宿舍里，他买回了菜，做好之后，他才让杜娟来，这次没人打扰他们，但林斌似乎情绪不是很高，满怀心事似的。两人坐在一起时，气氛有些寡淡。

林斌说：白部长最近对我好像有什么看法。

杜娟和白扬的事林斌还蒙在鼓里，林斌不挑明，杜娟也不好说什么，心情异样地望着林斌。

第二次见面的时候，是一个晚上，在公园里。正式录取通知书还没下来，但林斌已知道自己考取了地方一所师范大学的中文系。那天晚上，林斌情绪高涨，他见到杜娟便把杜娟抱在怀里，这大大出乎了杜娟的意外，她身体抖了一下，又抖了一下。

林斌耳语着说：娟，我考上了，我马上就成为一名大学生了。

杜娟不知是喜还是忧，她被林斌的情绪感染了，于是，她由被动变为主动，也紧紧地把林斌抱住了。借着夜色两人的胆子比白天大了许多，他们先是接吻，从温柔到凶狠，再从狂风暴雨到小桥流水，两人的情绪似乎都有些失控，后来林斌就把手伸进杜娟的衣服里，只一下，杜娟似乎被一颗流弹击中了。白扬也曾摸过她，但白扬击中她的力度远不如林斌这么厉害。她几乎半躺在林斌的怀里了。接下来，胸前的几颗扣子不知怎么就开了，林斌迷乱着把头埋在她的怀里。

他说：娟，我喜欢你。

她语无伦次地说：我也是。

在那张狭窄的排椅上，他压住了她，她在下面感受到了他的冲动，她没有制止，那时她闭上了眼睛，什么都不想了，精力都集中在对他的感受上。如果他想要的话，她不会有一丝半点的反抗，结果，林斌草草地收兵了。

他只是反复地说：娟，我喜欢你，你是我的梦。

她不明白，他说的梦指的是什么，难道是他写的那些诗，那么飘渺，又那么委婉，甚至，还有一缕淡淡的忧伤。总之，她有些落寞和失望。

不久，林斌就去外地上学去了。她到火车站去送他。

后来火车就开了，一点点地驶出她的视线。

接下来的时间里，她便开始日思夜盼他的音信。

杜娟没有等来林斌的信，却等来了白扬。那天傍晚，白扬敲开了杜娟的宿舍，白扬敲门前，杜娟正坐在桌前发呆，她收不到林斌的信，心里早就胡思乱想了，她正在乱想时，白扬敲响了她的门。

杜娟看着白扬，她在生林斌的气，如果林斌给她来信了，说爱她，那么她现在一定会把白扬轰出去。

白扬说：娟，我对你是真心的，我知道这事不怪你，怪那个姓林的，是他先勾引你的。

杜娟不同意白扬用勾引这样的字眼，他和林斌往来，是她自愿的，她这么想，但没有说。

白扬又杂七杂八地说了一些什么，后来走了。

这一段时间，杜娟的情绪灰暗到了极点，没有了笑声，没有了欢乐。

大梅早就发现了这一点，大梅开导了杜娟好长时间。

大梅说：杜娟，我劝你还是实际一点吧，林斌走了，他一封信都不来，你不必为他上火。

大梅又说：白扬的条件就算不错了，他父亲马上就提拔为副军了，也算是高干了，日后还能让你吃亏？

大梅还说：林斌再好，他那么远，见不到摸不着的，谁知四年以后会什么样子呢，他有可能回机关，说不定还会分去教书呢，他考的可是师范大学。

……

杜娟听了大梅的话就一点主张也没有了。

白扬又一次出现在她的宿舍里，白扬又恢复到了以前的样子，到屋三两句话之后，便把她抱在怀里。她本能地拒绝着，因为她现在还没有忘掉林斌，林斌的影子不时地从她脑海里冒出来。

她抓咬着白扬，似乎白扬就是林斌。白扬一声不吭，任凭她抓咬。等她折腾得没力气了，他亲她，摸她，她像死了似的挺在那里，一点反应也没有。

白扬就叹口气说：你这是何必呢，就算林斌比我强，可他不理你了呀。

杜娟听了这话，"哇"地一声大哭起来。

白扬似乎很会掌握火候，这段时间，他三天两头来找杜娟，从家里给她带来一些好吃的，杜娟刚开始不吃，别着头，连看也不看。

白扬就说：这是我爸妈让我带给你的，我爸说，他看过你的演出，他也很喜欢你。

白扬还说：我妈说了，让我什么时候把你带回家里去。

……

在那天晚上，杜娟的防线终于被白扬突破了，在那一瞬，她的脑子里又闪现出林斌，她在心里说：林斌我恨你。

她想把床单洗了，可走廊里到处都是声音，她只好把床单收起来，放到床头柜里。第二天中午，她以为大梅睡着了，便悄悄下床，从床头柜里抓过床单准备出门。

这时，大梅一把抓住了她，大梅板着脸说：杜娟你傻呀，这东西，说不定什么时候还能用上。

大梅显然比杜娟有先见之明，杜娟最后的防线被白扬攻破之后，杜娟便一点招架之功也没有了。那些日子，每天的傍晚，白扬都会来杜娟的宿舍里，杜娟每次都想遏止白扬的作为，但最后还是一次又一次地让他得逞了。白扬显然很有经验，他总是能很好地掌握自己，也能掌握杜娟，让杜娟尝到了肉体带来的快乐。

一天，杜娟把自己的这种感受冲大梅说了，大梅就说：你快点催白扬结婚吧，男人和女人不同，男人的新鲜劲一过，他就不把你当回事了。

杜娟似乎也感受到了白扬这种态度，两个月之后，白扬来杜娟宿舍就不那么勤了，每次来，他也不在这留宿了，态度似乎也没有以前那么温柔体贴了，每次都有些恶狠狠的。他抽空还问：你和林斌每次都是怎么亲的？

一次，她和白扬躺在床上，她忍不住问：咱们现在这关系算什么？

他说；什么算什么？恋爱呀，谈恋爱嘛。

她说：不想谈了，我想结婚。

他一下子冲她温柔起来，把她抱过去，一边吻她一边说：咱们这么年轻着什么急呀，再玩两年，差不多少再结婚。

她一下子看清了白扬的把戏，她不顾白扬的劝阻，很快把门打开了，她冲着楼道大声地说：今天我向大家宣布一个秘密，我和白扬恋爱了。

许多女伴都不知发生了什么，纷纷打开门，向杜娟的宿舍张望。

白扬一边穿衣服一边冲杜娟说：干什么呀你！白扬那天晚上灰溜溜地从杜娟宿舍里走掉了。

白扬走了之后，便开始躲她，一见到她的影子，比老鼠见猫溜得还快。她从大梅的床头柜里找出那条床单，塞到挎包里，然后她就找到了文工团团长的办公室。

几天之后，白扬终于露面了，他像一只老鼠似的见了她说：我同意还不行吗？

显然她的吵闹起到了结果，领导，包括他的父亲一定找了他。

十一

"十一"的时候，杜娟和白扬如约地结婚了。

白扬在第一个月的时间里，总是能在下班的时候，结伴和杜娟回到家里，然后一起做饭，鸡、鸭、鱼、肉的自然少不了。那些日子，杜娟昏头晕脑地沉浸在一种幸福之中。

新婚一个月之后，白扬似乎先发生了变化，下班的时候，有时他不能准点回来，有时回来后，吃过饭，夹着一副象棋就冲杜娟说：我去单身楼了。

日子疙疙瘩瘩地过着，不经意间她怀孕了，白扬和她一直很细心的，他们都不想这么早就要孩子，但孩子还是不约而至地来了。

杜娟只想把孩子生下来，是个女孩。日子一下子就忙碌了起来，孩子昼啼夜唤的，白扬为了孩子似乎也瘦了一圈，他不再早出晚归了，虽然天天唉声叹气，但也知道守着这个家了。杜娟又想，这样也不错。但随着孩子慢慢长大，又有母亲带着，白扬又自由了起来。

白扬又迷上了跳舞，白天上班，他就晚上换上便装去跳，回来自然是晚了。杜娟又开始生气。吵闹了几次，也没能阻止白扬去跳舞。杜娟只能独自在家里带着女儿默默生气。

一次，女儿半夜里发起了高烧，白扬跳舞还没回家，杜娟只好自己抱着孩子去了医院。

从此，两人又开始吵闹上了。杜娟现在真后悔嫁给了白扬这样的人。

有一次为了白扬不回家两人吵了起来，白扬指着杜娟说：你现在看看你这样，简直就是个家庭妇女。

杜娟说：家庭妇女怎么了，我当然不如那些小姑娘了。

话是这么说，杜娟还是为自己的变化而感到吃惊，她自从怀孕以后，便再没跳过舞，身材自然今非昔比了。她现在已经和别的女人没有什么区别了，肚子松驰，乳房下垂。有时，她看到团里那些十八九岁的小姑娘们活蹦乱跳地在自己眼前走过去，她会嫉妒得要死。

白扬现在整个晚上带着这些小姑娘偷偷地去跳舞，部队有规定，军人不能到地方舞厅去跳舞。可白扬他们总是能钻空子，偷偷地出去。白扬的舞伴，自然是那些如花似玉的小姑娘。

白扬半夜回来，杜娟气愤地望着白扬，白扬就说：别那么看着我，我又不是罪犯，不就是跳个舞么，有什么大不了的，如果你不平衡，明天你也去。

杜娟自然没有心思去，一个人的时候，她就想未婚时候的事，那时她青春正茂，她能在男性的目光中感受自己的存在。那时她是骄傲的，心里自然是愉悦的，现在呢?

她又想到了大梅。大梅的公公王部长已经退休了，大梅的公公退休不久，团里就研究决定让大梅转业。大梅在团里已经这么闲着好几年了。大梅没什么特长，只会跳舞，现在身体发福，舞也跳不成了，大梅转业只好去了少年文化宫，那也是一个清闲得让人害怕的单位，只有寒、暑假的时候，才有孩子们到文化宫来学习。

转业后的大梅，身体愈发的胖了，据说她爱人王科长分了一套房子，但那套房子远离市区，上下班不方便，一直没去住。杜娟每次见到大梅，大梅一刻不停地在吃零食，以前她们跳舞时，最怕的就是吃零食，大梅似乎要把以前少吃的零食补上。她一边吃一边冲杜娟感叹：啥事业前途的，我现在是看好了，这日子怎么舒服怎么过。然后像街头妇女似的冲杜娟"咯咯"大笑。

杜娟从大梅身上似乎看到了自己的未来，她现在舞是不能跳了，也和大梅以前一样在带学员。也许有一天，团领导会找自己谈话，告诉她该转业了，然后她也去少年宫什么单位去报到。难道这就是她的命。这就是大梅曾经说过的，也是她日思夜想的幸福？

她隐隐地感到有些不安。

十二

四年的时间转眼间就过去了，林斌毕业又回到了机关，他是带着军籍上学的，回到机关是他惟一的出路。

杜娟是在送孩子上幼儿园的途中碰见林斌的。

　　杜娟看到林斌的一刹那，她张着嘴巴叫了一声：你。林斌看了她一眼，又看了一眼，终于认出了她，也惊怔在那里，他说：是你，杜娟。杜娟想转身带着孩子走开，女儿默涵冲林斌说：叔叔，好！

　　林斌蹲下身，用手指碰了碰默涵的脸，抬起头问：这孩子是你的？

　　杜娟点点头，泪水差一点涌出来。她原以为见到林斌不会再有任何感情色彩了，没想到，却来得那么强烈。她掩饰着，拉起女儿的手，匆匆忙忙地走了。

　　杜娟听到林斌在她身后重重地叹息了一声。他为什么要叹息？

　　第二次见到林斌的时候，是一天黄昏，林斌在幼儿园门前的小路上徘徊，他似乎知道这时候杜娟会来接孩子。杜娟看到林斌想绕过去，林斌突然说：你等一下。

　　她只能站住了，他说：为什么不给我回信，哪怕是一封也行。

　　这回轮到她惊讶了，原来他给她来过信，可是她一封也没有收到。她马上想到了白扬，每次舞蹈队的信都放在团里，下午的时候，由队里的人拿回来，一定是白扬从中做了手脚。原来是这样，她突然什么都明白了，泪水再也忍不住，疯狂地流出来。

　　杜娟和白扬的架是晚上吵起来的。

　　杜娟突然说：白扬你是个阴险的小人。

　　白扬转身冲杜娟说：你说什么？谁是小人？

杜娟：是你，你为什么把林斌写给我的信扣住。

白扬听到这松了一口气，轻描淡写地说：我当什么事呢，这么多年了，你还想着他呀，要不是我当年来这么一手，你能跟我吗？

杜娟突然挥手打了白扬一个耳光。

白扬这时回过神来，激动地说：好哇，我知道你忘不掉那个姓林的，那你就嫁给他去好了。

杜娟不知道哪里来的力气，突然疯了似的跃起来，扑向白扬，疯了似的和他撕打起来，两人在床上滚做一团。疯打的结果是，惊醒了婆婆和女儿，他们醒了，女儿哭着出现在他们面前，婆婆一脸严峻。

婆婆说：够了，你们不怕丢人我还怕呢，要打你们出去打。

她开始后悔，当初死乞白赖地要嫁给白扬，那时，她想的是不能让白扬的阴谋得逞，她不能让他白玩，她要嫁给他，决不步那两个姑娘的后尘，当时的动机就这么简单。结果，现在她为此付出的代价太沉重了。别人都说她幸福，可幸不幸福只有她自己知道。结婚四年了，女儿都三岁多了，她对白扬已经忍无可忍了，如果不知道白扬扣了她的信，她还能接受白扬，现在她真的是不能再接受他了。她一连想了十几天，终于下定决心，她要和白扬离婚。

第二天，杜娟搬到了集体宿舍。

不久，杜娟离婚的事就多了许多风言风语，人们都知道杜娟离婚是为了林斌。

　　林斌突然间休假了，回了一趟老家，不多久又回来了，他从老家带回了一个姑娘，是他大学时的同学，现在在一所中学里教语文，他回部队是和这个姑娘结婚的。

　　林斌这种闪电式的回家，又回来结婚，眼花缭乱的举动，把大家弄得不知所措。文工团许多人还是参加了林斌的婚礼，杜娟没有去。别人去参加婚礼时，杜娟把自己关在了宿舍里，她在默默地流泪。

　　年底的一天，白扬突然出现在杜娟的宿舍里，他说：你真想离婚吗？

　　她说：我说过一千遍了。

　　他又说：那孩子怎么办？

　　她说：孩子我带着。

　　他没再说什么，转身就走了。

　　年底的时候，突然又传出一段新闻，林斌自己申请转业了。

　　在林斌忙着转业的这一过程中，杜娟和白扬办理了离婚手续。

　　从此，杜娟又过起了单身生活，女儿她自己带着。有关杜娟的一些闲言碎语从此销声匿迹了。

　　那年的五·一节，白扬重新结婚了。嫁给白扬的是一个唱歌的女孩，那个女孩杜娟认识，许多人都很喜欢那个女孩唱歌，那个女孩把一首《牧羊曲》唱得深情动人。那个女孩二十二岁，正是杜娟和白扬结婚时的年龄。女孩欢天喜地，满脸幸福地住进了白扬的家，住进了军职楼。

人们直到这时才真正地意识到，杜娟已经和白家没有任何关系了。

那年年底的时候，部队开始精简整编了，许多人不管自己愿不愿意，都要离开部队了。文工团领导在确定第一批转业人员的名单里就有杜娟。杜娟对这一切早就预料到了，这么多年不跳舞了，不让自己转业，让谁转业呢？

春节一过，杜娟就办理了转业手续，她被安排到老家少年宫当了一名舞蹈老师。她当年就是从这里走进部队的，转了一圈现在又回来了。此时，已是物是人非了。

十三

杜娟回到了老家，开始了一种新的生活，仿佛她是一个旅人，终于又回到了曾经出发的地方，只不过身边多了一个女儿，那年女儿默涵五岁。

林斌早一年回到了这座城市。她回来的时候，是悄悄回来的，正如她悄悄地走。刚开始她住了父母家里，年迈的父母无声地接纳了她。

她回到老家后，曾无数次地想过林斌，她不知道林斌现在怎么样了。但她一想到林斌身旁那个戴眼镜的女孩，她想见到林斌的愿望便淡了。

杜娟转业那年的八·一节，她突然接到一个战友的电话，他在电话里约她，希望他们这些战友能聚一聚，并说林斌也要参加。她听到林斌的名字，最后还是拒绝了。她怕见到林斌，她不知道如何面对他，不知为什么，她一见到他就想流泪。

那次聚会没几天，那位战友又打电话说起了上次聚会有多少人都参加了，大家如何怀恋部队生活，有人还哭了，他又说：林斌也哭了，他是最先哭的。后来他说：林斌似乎并不幸福。

得到这一消息后，她的心里难受了好长一段时间，从那以后，凡是有关林斌的消息，自然不自然的都会深深地吸引她，仿佛林斌是她什么人似的。

后来，那位战友在打电话跟她聊天时，似乎是无意中告诉她，我这有林斌的电话，你要不要和他通通话。

她当时心里动了一下，但还是拒绝了战友的好意。她没有要林斌的电话，她不知道和林斌讲什么。她相信林斌也能轻而易举地找到她的电话，他不给她打电话，她为什么要给他打呢？

她有几次在电话响过之后，抓起听筒，可对方却没有声音，两三次之后，她警觉起来，她想说不定这个人会是林斌。这么一想，她心里什么地方动了一下，一股温暖又柔弱的东西从她心底里泛起。从那以后，她又接过几次这样的电话，她先喂了一声，见对方没有反应，便也不急于挂断电话，就拿在耳边那么听着。这时，她真希望对方是林斌，她心里焦急地想：林斌你说点什么吧，哪怕是骂我几句也好。对方每次都没有出声，最后还是挂上了电话。那一刻她的心里空了，又有了要哭的欲望。

不久，她先听说林斌辞职了，林斌转业后去了文化局，当一名普通的科员。林斌辞职后，当上了书商。又是一个不久，林斌离婚了，林斌结婚后一直没有孩子。

她前一阵子还听说林斌在深圳，后来再听到林斌的消息时，林斌又去了海南，那一阵子，林斌像只风筝，一会儿从这飘到那，又从那飘到这。

在这一过程中，先是女儿上了小学，后来又上中学了。她一直一个人孤单地过着，在这期间曾有很多同事朋友什么的，给她介绍过男人，她一个也没有见。有了和白扬第一次失败的婚姻之后，她不相信别人给她带来幸福。

一晃女儿默涵就上大学了，也许女儿自小受到了文工团那种气氛的感染，虽然她没有学舞蹈，但她还是深深受了母亲的影响，她考上了一所舞蹈学院的理论专业。杜娟虽然觉得学习舞蹈路子太窄，将来不会有什么更好的发展，但既然女儿喜欢，她还是欢天喜地把女儿送走了。

很久没有关于林斌的消息了。

战友们仍能在一起聚一聚，没有了林斌，她每次都能出现在战友的聚会上。其实，她去聚会还是希望能得到关于林斌的一点点消息，哪怕是蛛丝马迹，她也会感到心满意足。战友聚会的时候，她总是躲在人群的后面，不显山不露水的。

现在战友们很少提及林斌了，似乎林斌也很少和这些人来往了。人们传说林斌的消息大都是道听途说的。一个人就说：几天前我们单位一个人出差去北京，见到林斌了，这小子发了，开着宝马领着一帮人去海鲜楼吃饭了。

另一个人说：林斌在北京开了一家房地产公司，手下员工就有几十号。

……

后来林斌的消息就越来越少了。再有这样聚会的机会，她也很少去了。渐渐地，关于林斌和一些往事，很少在她脑海里出现了。

十四

女儿默涵一天在电话里喜洋洋地告诉她：自己现在利用课余时间，在一家公司里打工。女儿还说：以后要靠自己养自己。

后来，她隔三差五地就能接到女儿的汇款。数目也越来越大。以前她有事找女儿总是打学校里的传呼电话，女儿告诉自己一个手机号，女儿在电话里说，以后随时随地都可以找到自己。她责备女儿不该给自己寄来这么多钱，女儿在电话里说：妈妈，我就是愿意让你幸福。

杜娟没有感到幸福，她开始感到不安了。女儿现在刚上大学三年级，利用打工挣钱也不能挣这么多呀。她暗自算了一下，这半年来，女儿寄给她的钱不少于一万。她担心女儿不学好，她在电话里一次次劝慰女儿，提出自己的担心，每次女儿都轻描淡写地说：妈，你放心，我是幸福、快乐的。

她放心不下女儿，没有事先通知女儿，她赶到了女儿的大学。女儿并不在宿舍里，问同学，同学想了想说：可能在公司里吧。

杜娟只好打通了女儿的手机，女儿听到她的声音惊呼一声：妈，你怎么来了？

不一会儿，女儿就出现在了她面前，女儿的打扮让她吃惊不小，女儿已不是学生打扮了，而像一个贵妇人。母女相见感叹一番之后，女儿打了一辆车把她接到一个小区里，这是一套两居室的住房。

她惊讶地打量着这套居室，房间里的一切应有尽有，可就是没有家的感觉，更像一个宾馆。

她说：这房子是谁的？

女儿说：向朋友借的。

女儿为母亲安顿好之后，说下午学校还有两节课，女儿就走了。杜娟人留在这地，心却不踏实，这摸摸，那看看。她在大衣柜里看到了男人衣服，同时也看到了女儿的衣服，女儿有一件毛衣是她去年亲手织的。她一下子惊怔在那里。

傍晚女儿回来了，见她一脸不高兴，忙问：妈，你这是怎么了？

她把大衣柜打开，让女儿看。

女儿说，这有什么，这是一个朋友的房子，他出国了，房子借给了我。

女儿虽然这么说，但她不相信女儿和这个男人的关系这么简单。

女儿晚上要请她去外面吃饭，她不去，她在女儿面前哭了。她威胁女儿说：要是女儿不说实话，她就不吃饭。

女儿还是不肯说出实情，她意识到了问题的严重性，她要当晚去买两张返程的车票，她宁可不让女儿读书，也不希望女儿就这么不明不白地生活着。她历数自己这么多年一个人的生活，为的都是女儿将来幸福。

女儿毕竟是女儿，女儿什么都说了，她说自己现在和一个老板在一起。她还说：这个老板姓王，没有家室，是她自愿的。杜娟明白了，女儿说打工就是在这个老板这儿打工，房子、钱自然都是这个老板的。

杜娟执意要见这个姓王的老板，女儿刚开始不同意，她说这么办事就太俗了。杜娟执意要见，女儿要是不答应，她就要在这里死给女儿看，后来女儿就出去了，答应把王老板叫来。

女儿回来了，她看到了那个王老板，她惊呆了，叫了一声：是你!?

接着她就疯了似的扑向那个王老板，一边撕扯一边叫着：姓林的，咱们的恩怨是咱们的，干嘛害我的孩子？

林斌也怔住了，他没想到眼前站着的会是杜娟。

女儿在一旁喊：妈，你这是干什么，这都是我愿意的，不关王老板的事。

杜娟这才知道，现在林斌已改称王姓了。她大声冲女儿说：出去，这里不关你的事。

女儿被母亲的样子吓呆住了，但还是走了出去。

杜娟说：姓林的，你这是害我。

林斌一时语塞，他喃喃着：怎么会是你的女儿，这不是做梦吧？我以为又找到了多年前的梦，正因为她长得太像你了。你的女儿该姓白呀，怎么姓杜了。

林斌自然不知道，杜娟离婚后她就把女儿改成自己的姓了。

林斌又说：默涵姓杜，和你当年一模一样，那天她到公司应聘，我见到她，我以为自己是在做梦。

杜娟气喘着，无力地望着林斌。

林斌又说：默涵说自己的老家是 H 市，我就没有多想，我以为是上天可怜我，让我圆一个没有实现的梦。我对默涵是真心的。

杜娟什么都明白了，她突然蹲下身痛哭了起来。

林斌颤抖着手伸过来，试图把她扶起来。

林斌说：我以为我又找到了幸福，原来真的是一场梦。

杜娟抬起头，看到眼前的林斌，此时她觉得自己在做一个冗长繁杂的梦，她希望梦早点醒来。梦里的幸福永远是虚幻的。

门外是女儿一阵紧似一阵的敲门声。

图书在版编目(CIP)数据

激情燃烧的岁月/石钟山著.—北京:华夏出版社,
2002.8

ISBN 7-5080-2811-2

Ⅰ.激… Ⅱ.石… Ⅲ.中篇小说—作品集—中国
—当代 Ⅳ.I1247.5

中国版本图书馆 CIP 数据核字(2002)第 061054 号

华 夏 出 版 社 出 版 发 行
(北京东直门外香河园北里 4 号 邮编:100028)
新 华 书 店 经 销
北京新丰印刷厂印刷

*

850×1168 1/32 开本 9.5 印张 209 千字 6 插页
2002 年 9 月北京第 1 版 2002 年 9 月北京第 1 次印刷
定价:18.00 元
本版图书凡印刷装订错误可及时向我社发行部调换